iPad
はかどる！
便利技
2021

JN056405

standards

さすがiPad こんなことも できるんだ!

と感心してしまう便利な機能や操作手順をたっぷり紹介。iPadをこれまでより素早くスムーズに扱える操作法や劇的に使いやすくなる設定ポイント、おすすめアプリの特に使ってほしい注目機能、さらにスマホともパソコンとも違うiPadだからこそ実現できる使い方まで、iPadを賢くスマートに利用するテクニックが満載です。

CONTENTS

SECTION 01
意外と知らないiPadOSの
隠れた便利技

SECTION 02

コミュニケーションを
円滑にする便利技

SECTION 03

毎日の仕事や生活で
役立つ便利技

SECTION 04

写真・音楽・動画を 楽しむ便利技

SECTION 05

セキュリティと
トラブル解決の便利技

Q R コ ー ド の 使 い 方

アプリを紹介している記事には、QRコード
が掲載されています。「カメラ」アプリを起
動してQRコードに向け、スキャン完了後に
表示されるバナーをタップすれば、App
Storeの該当ページが開き、すぐにアプリ
をインストールできます。

は じ め に お 読 み く だ さ い

本書の記事は2021年6月の情報を元に作成し
ています。iPadOSやアプリのアップデートおよび
使用環境などによって、機能の有無や名称、操
作法が本書記載の内容と異なる場合があります。
また、本書掲載の操作によって生じたいかなるトラ
ブル、損失について、著者およびスタンダーズ株
式会社は一切の責任を負いません。

意外と知らない iPadOSの隠れた 便利技

意外と知らない便利すぎる 3つの快適操作法

操作のポイントは画面のフチにあり

001

設定で画面の一番上に戻りたい、Twitterでタイムラインの先頭部分に表示を戻したい……こんなとき、あなたはどのように操作しますか？ 指でスワイプして一番上までスクロールする、という人も多いかもしれません。しかし、もっと簡単な方法があります。それは「ステータスバー」をタップする方法です。ステータスバーとは、iPadの画面最上部にある時刻や電波強度、バッテリー残量など各種情報が表示されている場所のこと。実は、アプリ起動中にステータスバーをタップすると、画面の一番上まで一気に戻ることが可能なのです。縦にスクロールする画面であれば、ほとんどのアプリで使える操作なのでぜひ試してみましょう。また、画面最下部のラインを右にスワイプ（ホームボタンのないiPad。ホームボタンのあるiPadでは、画面最下部を少し弧を描くようにスワイプ）すると、直前に使ったアプリに素早く切り替えできます。もう一つ、画面をスクロールさせると右端に表示されるスクロールバーも、意外と気づきにくい便利な機能なので、覚えておきましょう。

ページの一番上へ戻るために、いちいち指で何度もスワイプするのは非効率。また、アプリを切り替えたいときに、いちいちホーム画面に戻るのも面倒だ。それぞれの操作は、簡略化した操作が用意されているのでうまく使おう。

最上部までのスクロールが面倒！

画面の移動やアプリ切り替えを素早く行うテクニック

1 | ステータスバーをタップして画面最上部へ瞬時に移動

画面最上部のステータスバーをタップ

iPadの画面最上部にあるステータスバーをタップしてみよう。画面がササッとスクロールし、最上部に戻れるのだ。この操作は縦スクロールで利用するほとんどのアプリで対応している。なお、Safariでステータスバーをタップしても最上部に戻らない場合は、さらにもう1度タップすればOKだ。

2 | 画面下部をスワイプしてアプリを切り替える

画面下部のラインを右にスワイプ。ホーム画面でも同じ箇所をスワイプできる

ホームボタンのあるiPadは上に弧を描くようにスワイプ

直前に使ったアプリに切り替えたり元のアプリに戻すには、ホームボタンのないiPadの場合、画面最下部にあるラインを左右にスワイプすればよい。ホームボタンのあるiPadの場合、画面最下部を少し弧を描くようにスワイプすれば、同様にアプリを切り替えできる。

3 | 右端のバーでスピーディーにスクロールする

Safariやファイルアプリなどで、画面を少しスクロールさせると、右端にスクロールバーが表示される。これをロングタップして上下に動かせば、画面を高速にスクロールできる。

ドラッグ

顔認証を失敗しがちな人は何が悪い?

002

本体の距離と向きに注意しよう

　iPad Proには、フルディスプレイモデルのiPhoneと同じく顔認証機能「Face ID」が搭載されています（ホームボタン搭載の旧モデルを除く）。パスコードを入力することなく、iPadに顔を向けるだけで画面ロックの解除ができる便利な機能です。ただし、状況によっては顔認証に失敗することもよくあります。ホームボタンや電源ボタンの指紋認証の方がスムーズだったと思っている人もいるかもしれません。認証に失敗するには理由があります。まず、マスクを付けた状態。残念ながら、顔が半分以上隠れている状況だとFace IDの認識が行えません。なので、ロック解除時はマスクをあごへずらしましょう。なお、メガネやサングラス、帽子などであれば問題なく認証を行えます。また、顔認証を行うごとにiPadがユーザーの顔を学習するので、メイクや髭などの一時的な変化も対応可能です。寝起きに枕元のiPadでメールをチェックしようと思ったけど、顔認証に失敗するのはよくあるケースです。これは、iPadとの距離が近すぎる場合がほとんどです。iPadを顔から30cm程度離せば、寝起きのひどい顔やボサボサの髪でも認証されるはずです。さらに、注意したいのがiPad本体の向きです。うっかり上下逆に持っている場合があります。画面の回転が有効だと画面の向きは正しく表示されているので、すぐには気付かないですよね。この場合、カメラが下にあるため、顔認証に失敗しがちです。親切なことに「下を向いてロック解除」と表示されるので、その通り従って下を向けばすぐに認証されます。なお、本体を横にしている場合は、認証に失敗することは少ないようです。これらのことを気をつけても、顔認証に失敗することが多くてうんざり……という場合は、少し設定を変えてみましょう。標準では、顔認証の際は、iPadに顔を向けるだけではなく目をしっかり開けて画面を見つめる必要があります。設定で「Face IDを使用するには注視が必要」のスイッチをオフにすれば、認証の判断が多少ゆるやかになり失敗が少なくなります。

顔認証に失敗しがちなケースを確認しておこう

ケース	顔認証	説明
iPadが上下逆	△	iPad本体を上下逆に持っている場合、カメラが下にあるため、下を向かないときちんと顔が認識されない
マスクを付ける	×	顔が半分以上隠れている状態では顔認証が行えない
iPadと顔が近い	×	顔とiPadが近すぎると認証に失敗する。30cm程度は離そう
メガネやサングラス、帽子を付ける	○	顔が大きく隠れていなければ、メガネやサングラス、帽子を付けたり外したりしても特に問題なく顔認証が行える
メイクや髪型、ヒゲの変化	○	顔認証は、顔や髪型、ヒゲなど容姿の変化にも対応するので問題ない。ただ、顔全面に濃く生えていたヒゲをすべて剃ったときなど容姿の変化が大きい場合は、認証が失敗する可能性がある
寝起きの顔	△	寝起きの顔でも認証するが、目をしっかり開いておく必要がある。薄目の状態だと失敗しやすいようだ
周りが暗い	○	赤外線を使うので暗い状況でも顔認証が行える

Face ID関連で確認しておきたい設定項目

画面を見なくても
顔認証ができるようにする

顔認証時にiPadを注視するのが面倒ならば、設定を変更しよう。「設定」→「Face IDとパスコード」をタップして、パスコードを入力。「Face IDを使用するには注視が必要」をオフにする。

もうひとつの容姿を
登録しておく

Face IDはもう一つ別の容姿を追加登録できる。認識し難いほど容姿の変わるメイク顔を登録したり、家族の顔を登録することも可能だ。

もたつきを回避する
ロック解除のスムーズ設定

003

スリープ／ロック解除に手間取らないためのコツ

画面の消灯したiPadを使い始めるには、まず電源ボタンやホームボタンを押してスリープを解除し、ロック画面を表示。その後、顔認証や指紋認証などでロックを解除します。この一連の操作をよどみなく実行するために、あらかじめ設定を変更しておきましょう。特にホームボタンのないiPadを使い始める時に電源ボタンを押すアクションは、もたつきの原因になりがちです。そこで、電源ボタンの操作不要でスリープを解除できるよう、「タップしてスリープ解除」をオンにしておきましょう。消灯した画面をタップするだけでスリープを解除できるようになります。ちょっと時刻を確認したいときも、実に素早く画面を確認できます。また、指紋認証対応のiPadの場合は、ロック画面でホームボタン（や電源ボタン）を押すことなく、指を当てるだけでスリープを解除できるよう設定することも可能です。ぜひ設定を見直しておきましょう。

**スリープ解除を画面
タップで行うには？**

オンにする

ホームボタンのないiPadの場合、画面をタップすることでスリープ解除が行えるように設定できる。「設定」→「アクセシビリティ」→「タッチ」を開き、「タップしてスリープ解除」をオンにしてみよう。

スリープやロック解除関連の設定を見直す

指紋認証搭載
機種の必須設定

指紋認証に対応したiPadの場合は、ロック画面で
ホームボタンや電源ボタンに指を載せるだけで、ロッ
ク解除を行うことができる。「設定」→「アクセシビリ
ティ」→「ホーム(トップ)ボタン」→「指を当てて開く」
のスイッチをオンにしておこう。

自動ロックまでの
時間を長くしておく

最長15分に設定できる

iPadは一定時間操作していないと画面が消灯し、自
動的にロックされてしまう。「設定」→「画面表示と明
るさ」→「自動ロック」で自動ロックまでの時間を長め
に設定しておけば、いちいちロック解除する操作の手
間も少なくなる。

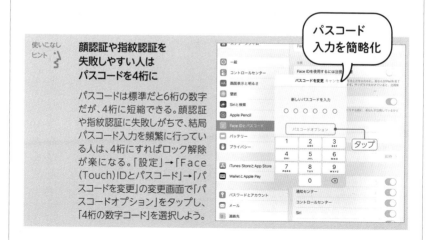

パスコード
入力を簡略化

使いこなし
ヒント

顔認証や指紋認証を
失敗しやすい人は
パスコードを4桁に

パスコードは標準だと6桁の数字
だが、4桁に短縮できる。顔認証
や指紋認証に失敗しがちで、結局
パスコード入力を頻繁に行ってい
る人は、4桁にすればロック解除
が楽になる。「設定」→「Face
(Touch)IDとパスコード」→「パ
スコードを変更」の変更画面で「パ
スコードオプション」をタップし、
「4桁の数字コード」を選択しよう。

タップ

ホーム画面にウィジェットを常に表示しておく

横画面なら常にウィジェットを表示できる

004

ホーム画面の1ページ目をさらに右にスワイプすると、「今日の表示」画面でさまざまなアプリのウィジェットが表示されます。またiPadを横向きにすると、ホーム画面にウィジェットを固定表示できます。1ページ目に配置できるアプリの数は変わりませんので、横画面で使うことが多い人はウィジェットを固定表示させておくのがおすすめです。天気や株価などリアルタイムで確認したい情報や、リマインダーなど常に目にする場所で表示したいもの、ファイルアプリで最近使ったファイルを素早く開きたい場合など、よく使うウィジェットを配置しておきましょう。なお、「ホーム画面に固定」をオンにした時に表示される、一番上の「ピン固定」欄にウィジェットを配置すると、「今日の表示」画面を下にスワイプしてピン固定したウィジェットだけを表示できます。上にスワイプすると他のウィジェットも表示されます。普段はカレンダーのウィジェットだけ見やすく表示させたい場合などに利用しましょう。

横画面で「今日の表示」画面を開き、空いたスペースをロングタップして編集モードにしたら、「ホーム画面に固定」をオンにしよう。ホーム画面の1ページ目に、ウィジェットが常に表示されるようになる。

配置できるアプリの数も変わらない

ウィジェットの追加と設定

1 | 新しいウィジェットを追加する

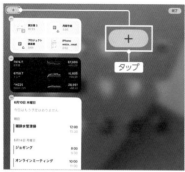

「今日の表示」画面を表示させたら、空いたスペースをロングタップして編集モードにし、左上の「＋」ボタンをタップする。

2 | ウィジェットを選択する

一覧から追加したいウィジェットを配置しよう。この画面に表示されないアプリはウィジェット機能がないか、旧仕様のウィジェットになる。

3 | ウィジェットの種類やサイズを選択

左右にスワイプしてウィジェットの種類やサイズを選択し、「ウィジェットを追加」をタップすると、ウィジェットが配置される。

4 | ウィジェットを配置する

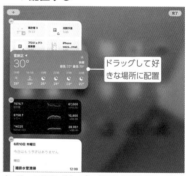

ウィジェットをロングタップし、好きな位置にドラッグしよう。画面内をタップするか右上の「完了」をタップすれば配置完了。なお、配置済みのウィジェットをロングタップして「ウィジェットを編集」をタップすると、表示項目などを編集できる。

使いこなし
ヒント

旧仕様ウィジェットを追加する方法

「＋」ボタンで追加できない旧仕様のウィジェットは、編集モードにして一番下にある「カスタマイズ」から追加できる。ただし配置場所は自由に変更できず、「今日の表示」画面の最下部にまとめて表示される。

ひとつのスペースで複数の
ウィジェットを利用する

ウィジェットをスタックしてまとめよう

No004で解説したように、iPadは横画面ならウィジェットを常にホーム画面で確認できますが、一度に表示されるのは中サイズのウィジェット3つ分。他のウィジェットを見るには画面をスクロールする必要があります。例えば、仕事で使うカレンダーやリマインダーの仕事リスト、仕事用メールなど、まとめてチェックしたいウィジェットが複数ある場合は、「スタック」しておくと便利です。ウィジェットはサイズが同じなら重ねられ、上下にスワイプして表示を切り替えできるのです。同じアプリのウィジェットもスタックできるので、例えば「Yahoo!天気」でサイズが同じ「現在の天気」「天気予報」「雨雲レーダー」をスタックしておくと、ウィジェットを上下するだけで、現在の気温や雨雲の接近を素早くチェックできるようになります。

ウィジェットをスタックする方法

1 | 同じサイズの ウィジェットを重ねる

何もない場所をロングタップして編集モードにし、同じサイズのウィジェットを重ねると、スタック化される。最大10個までスタックが可能。

2 | ウィジェットの 表示を切り替える

スタックしたウィジェットの画面内を上下にスワイプすると、表示するウィジェットを切り替えることできる。

スタックしたウィジェットを編集する

1 | ロングタップで 編集メニューを開く

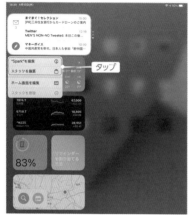

スタックしたウィジェットをロングタップし、「"○○"を編集」で表示中のウィジェットの設定画面が開く。「スタックを編集」でスタックの並べ替えや削除が可能。

2 | ウィジェットの 編集を行う

ウィジェットごとに、必要な情報が表示されるように設定しておこう。例えばメールアプリのSparkは、表示させるメールアカウントを指定できる。

3 | スタック表示順を 並べ替える

スタックの編集画面では、各ウィジェットの右端にある三本線ボタンをドラッグすると、表示順を並べ替えできる。

4 | ウィジェットを スタックから外す

ウィジェットを左にスワイプすると、ウィジェットをスタックから外せる。なお「スマートローテーション」は、アプリを使った時間や場所、頻度に応じて、適切なウィジェットを表示させる仕組みだ。オンのままでよい。

画面を分割して 2つのアプリを同時に利用する

Split Viewで広がるiPadの使い方

　画面を分割して2つのアプリを同時に利用できる機能を「Split View」と言います。新機能として鳴り物入りで登場した際は大きな話題になりましたが、このSplit Viewe、しっかり活用していますか？　この機能は、2つのアプリをわざわざ切り替えなくても、同時に表示して操作できる点が優れています。例えば、Safariやマップ、乗換案内であれこれ調べながら、LINEやメッセージで旅行の相談をする際。いちいちアプリを切り替えるのは面倒ですし、レスポンスの遅れで会話に行き違いが発生しがちです。WebやPDFの資料を参考にしつつ書類を作成する際にも有効です。また、YouTubeでBGMを流しながら別のアプリを操作したいときも役立ちます。YouTubeは課金しないとバックグラウンド再生を行えませんから。さらに、2つのアプリ間でファイルのやり取りも行えるので、さまざまな活用法が考えられます。なお、Split Viewは縦画面でも横画面でも利用できますが、画面の分割はどちらも左右に2分割です。残念ながら上下には分割できません。

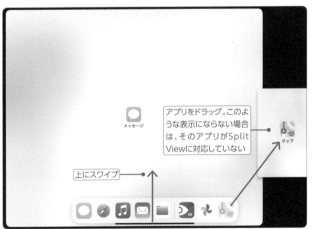

Split Viewの開始方法

アプリ起動中に、画面最下部から少し上にスワイプしてDockを表示し、同時に使いたいアプリをDockから画面内の左右端にドラッグする。このように表示されたら指を離そう。なお、「設定」→「ホーム画面とDock」→「マルチタスク」→「複数のAppを許可」をオンにしておかなければならない。

アプリをドラッグ。このような表示にならない場合は、そのアプリがSplit Viewに対応していない

メッセージ

マップ

上にスワイプ

分割した画面で2つのアプリを同時に利用

1 | 画面分割の比率を変更可能

ここではメッセージとマップを同時に表示してみた。仕切り線の中央部分を左右にドラッグすれば、分割の比率を変更できる。仕切り線を右もしくは左端までドラッグすれば、Split Viewを終了できる

この部分を左右にドラッグ

2 | アプリ間でデータのやり取りも行える

Split Viewで開いたアプリ間では、ドラッグ&ドロップでデータのやり取りを行える。写真アプリからメールへ写真をドラッグして添付したり、Safariで表示した写真をメモに貼り付けることも簡単だ。選択したテキストをアプリ間でドラッグ&ドロップすることも可能。

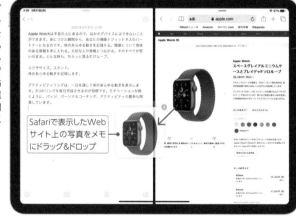

Safariで表示したWebサイト上の写真をメモにドラッグ&ドロップ

使いこなしヒント

Split Viewの状態はアプリを閉じても保持される

Split Viewで開いた2つのアプリを閉じるには、通常通り画面下部から上方向へスワイプするか、ホームボタンを押せばよい。そして、再度Split Viewで開いていたアプリをタップすると、画面が分割された状態を保ったまま利用を再開できる。

ちょっと使いたいアプリを 小型ウインドウで出し入れする

邪魔なときはサッと隠せるSlide Over機能

　画面を分割して2つのアプリを同時に利用できる「Split View」に比べると、画面上に小型のウインドウとして2つ目のアプリを表示できる「Slide Over」機能は、どんなときに使えばよいのか少しわかりづらいかもしれません。画面の表示方法が違うだけで、Split Viewとほとんど変わらないようにも見えます。しかし、このSlide Overは、ただ2つのアプリを同時に利用できる機能ではありません。表示した小型ウインドウは、邪魔なときはサッとフリックして画面外にはじき出し、必要になったらまた画面端からフリックして引き出すことができるのです。つまり必要なときだけ参照したいアプリを表示し、利用するのに最適な機能なのです。なお、Slide OverでもSplit View同様に、アプリ間でのファイルやテキストのドラッグ&ドロップを行えます。さらに、Split Viewで2つのアプリを表示した状態で、さらにSlide Overで3つ目のアプリを表示するという合わせ技も使えますので、複数のアプリを行き来する作業を行いたいときはぜひ試してみましょう。

アプリをドラッグ。このような表示にならない場合は、そのアプリがSlide Overに対応していない

Slide Overの開始方法

アプリ起動中に、画面最下部から少し上にスワイプしてDockを表示し、小型ウインドウで表示したいアプリをDockから画面内にドラッグする。このように表示されたら指を離そう。なお、「設定」→「ホーム画面とDock」→「マルチタスク」→「複数のAppを許可」をオンにしておかなければならない。

アプリ上にもうひとつのアプリを表示して同時利用

1 | ウインドウをフリックして画面外へ隠す

Slide Overでアプリ上に
もうひとつのアプリが表
示された。画面上部の
バーを左右にドラッグして
ウインドウを移動できるだ
けではなく、画面右端で
画面外にフリックすれば、
ウインドウを一時的に隠
すことができる。画面右
端から左方向へフリックし
て再表示可能だ。

画面の右端から外へは
じき出すようにフリック

2 | Split ViewとSlide Overを同時に使う

Split Viewで2つのアプ
リを使用中に、さらに
Slide Overでもうひとつ
のアプリを表示し、3つの
アプリを同時利用するこ
ともできる。Split Viewの
仕切り線部分に、Dock
からアプリをドラッグしよ
う。

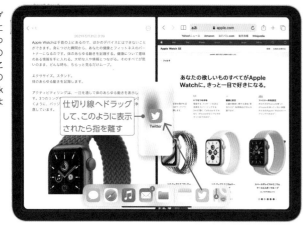

仕切り線へドラッグ
して、このように表示
されたら指を離す

**使いこなし
ヒント**

非対応アプリの上にSlide Overでウィンドウを表示することは可能

Split ViewやSlide Over非対応のアプリの上にも、Slide Over対応アプリを表示す
ることはできる。例えば、カメラはSplit ViewとSlide Overに対応していないが、カメ
ラの上にSlide Overで別アプリのウインドウを表示することは可能。

Slide Overのアプリを
素早く切り替える

Slide Overは履歴が残っている

　Split View（No006で解説）で画面を分割して開いた2つのアプリは、Appスイッチャー画面を開くと、分割したままの状態で再開できます。一方、Slide Over（No007で解説）で開いた小型のウインドウは、Appスイッチャーからアプリを再開した時に消えています。しかし実は、Slide Overで開いたアプリの履歴もしっかり残っているのです。Slide Overの画面を開いたら、小型ウインドウ下部のバーを左右にスワイプしてみましょう。以前Slide Overで表示したアプリに切り替わるはずです。また一番下のバーを上にスワイプすると、Appスイッチャーと同様の画面で、Slide Overで起動中のアプリが一覧表示されます。このように、元の画面を表示したままで、Slide Overで開くアプリだけを素早く切り替えできるので、複数のアプリを使い分けながら作業したい時に最適です。また、よく使うアプリをSlide Overで開いて記憶させておけば、いちいちDockからアプリを起動しなくても、いつものアプリを素早く呼び出せるようになります。

よく使うアプリはSlide Overで開いておこう

ファイルや写真などのアプリを開いておく

ファイル、写真、Safari、メモ、メールなど、よく利用するアプリは、あらかじめSlide Overで開いておこう。Slide Overの履歴に残るので、次回からSlide Overで素早く呼び出せるようになる。

Slide Overのアプリを切り替える方法

1 | 下部のバーをスワイプして切り替える

Slide Overのウインドウの下部にあるバーを左右にスワイプすると、以前Slide Overで表示したアプリに素早く切り替えできる。例えば、作成中のメールにファイルアプリからファイルを添付して、写真アプリに切り替えて写真も添付して……といった作業を効率的に行える。

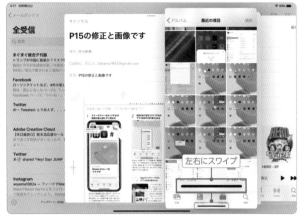

2 | Slide OverのAppスイッチャーから切り替える

左右スワイプでアプリを順番に切り替えるのが面倒なら、下部のバーを上にスワイプしてみよう。小型ウインドウのAppスイッチャー画面が開き、Slide Overで起動中のアプリが一覧表示される。タップしてアプリを切り替えたり、画面を上にスワイプして一覧から消すことも可能だ。

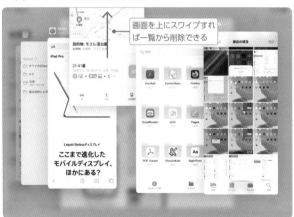

画面を上にスワイプすれば一覧から削除できる

使いこなしヒント

Split ViewとSlide Overを切り替える

Split Viewで分割した画面は、画面上部のバーを下にスワイプして、Slide Over表示に切り替え可能。逆にSlide OverをSplit Viewに切り替えるには、Slide Overの画面上部のバーを左右端にドラッグし、Split Viewのモードになったら指を離せばよい。

同じアプリを2つの
ウィンドウで同時に利用する

同じアプリの同時起動でiPadの用途が広がる

Split View（No006で解説）やSlide Over（No007で解説）を使えば、同じアプリを2つの画面で同時に表示させることもできます。例えば、メモアプリで2つのメモを開き、片方のテキストをドラッグしてもう一方に貼り付けるなど、文章の再編集を簡単に行なえます。過去のメールのやり取りを参照しながら、一方の画面で新規メールを作成するといった使い方にも便利です。また、ファイルアプリを同時起動してファイルをドラッグ&ドロップで整理したり、Safariを2つ開いてネットショップの商品を比較したりと、さまざまな用途が考えられます。ただし同じアプリを同時に起動できるのは、対応アプリに限られています。例えば「ミュージック」アプリはSplit ViewとSlide Overに対応していますが、2つを同時に表示することはできません。

メモアプリを2つ開いて文章を再編集する

選択したテキストをドラッグ&ドロップでコピーできる

メモを起動中に、DockからメモアプリをドラッグしてSplit ViewやSlide Overで表示させよう。それぞれで別のメモを開けば、片方で選択したテキストを、もう片方にドラッグ&ドロップでコピーするなど、文章の再構成を簡単に行える。

ファイルアプリを同時起動してファイルを整理する

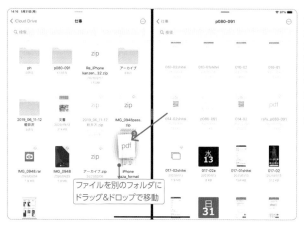

ファイルを別のフォルダに
ドラッグ&ドロップで移動

ファイルアプリも2つ同時に起動すると便利だ。片方のウインドウでファイルをドラッグし、別の場所を開いたもう片方のウインドウにドラッグすれば、画面内でフォルダを開き直すこともなく手軽に移動できる。

Safariのリンクをドラッグして別ウインドウで開く

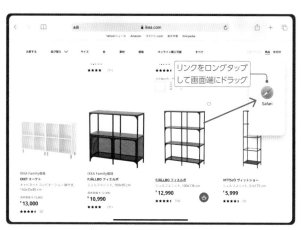

リンクをロングタップ
して画面端にドラッグ

Safariなら、リンクをロングタップして画面に端にドラッグすることで、リンク先をSplit ViewやSlide Overで開くことが可能だ。今見ているページを表示したまま、リンク先をチェックしたい時に活用しよう。

使いこなし
ヒント

Slide Overで複数の同じアプリを切り替える

No008で解説したように、Slide Overで同じアプリを複数起動しておけば、切り替えも簡単。例えばSlide Overでファイルアプリの別の場所をいくつか開いておけば、Slide Overの画面を切り替えるだけで、複数フォルダ内のファイルを素早くやり取りできる。

複数のウインドウを開いておける
アプリの仕組みを覚えておこう

同じアプリを別ウインドウで操作できる

　No009で紹介しているように、iPadでは同じアプリを同時に利用できますが、Split ViewやSlide Overを使うと、どうしても画面の作業領域が狭くなってしまいます。フルサイズの画面で同じアプリを使い分けたいなら、アプリを複数のウインドウで開く方法を覚えておきましょう。まず、アプリの利用中にDockを表示させます。ここまではSplit ViewやSlide Overと同じですが、Dockにある同じアプリを、画面端にドラッグするのではなく、タップしてみましょう。このアプリのウインドウ一覧画面に切り替わり、右上の「＋」から同じアプリを新規ウインドウで開くことができます。複数開いたウインドウの表示を切り替えるには、アプリアイコンをロングタップして、「すべてのウインドウを表示」をタップしましょう。ウインドウ一覧画面が開き、別のウインドウを開いたり、不要なウインドウを消去できます。なお、この機能は対応アプリでのみ利用できます。

アプリを複数のウインドウで開く

1 | アプリの利用中に 同じアプリをタップ

アプリの利用中にDockを開いたら、利用中と同じアプリをタップしよう。このアプリのウインドウ一覧画面が開く。

2 | 「＋」ボタンで新規 ウインドウを開く

右上の「＋」をタップすると、同じアプリを新規ウインドウで開くことができる。元のウインドウはバックグラウンドに残される。

すべてのウインドウを確認、管理する

1 | すべてのウインドウを表示する

アプリを起動すると、直前に開いていたウインドウしか開かない。開いているすべてのウインドウを確認するには、アプリアイコンをロングタップして、「すべてのウインドウを表示」をタップしよう。またはアプリを一度起動して、Dockから同じアプリをタップしてもよい。

2 | 開いているウインドウを閉じる、復元する

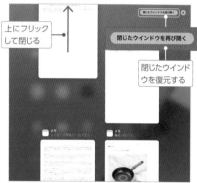

開いているウインドウが一覧表示される。表示したいウインドウをタップしよう。不要なウインドウは上にフリックして閉じる。右上の「閉じたウインドウを再び開く」をタップすると、閉じたウインドウを復元できる。

3 | Split ViewやSlide Overのウインドウも表示される

ウインドウの一覧画面では、「+」ボタンで開いたウインドウだけでなく、Split Viewで分割表示したウインドウや、Slide Overで開いた小型ウインドウも表示される。開いたウインドウを見失ったら、この画面で確認しよう。

使いこなしヒント

Appスイッチャーでもすべてのウインドウを確認できる

Appスイッチャー画面を普通に開けば、同じアプリで開いている複数のウインドウもすべて表示できる。他のアプリに混ざって表示されるので少し探しづらいが、ウインドウを切り替える方法としてはこちらの方が手軽なので覚えておこう。

同じファイルを2つの
ウインドウで開いて編集する

Split Viewで同じファイルも扱える

No009で解説しているように、Split Viewを使えば同じアプリを2つの画面で同時に表示できますが、一部のアプリでは、さらに同じファイルを同時に開くこともできます。例えば標準のメモアプリの文章を修正したい場合。Split Viewでメモを2つ起動し、片方に新しいメモを開いて、テキストや画像をドラッグして内容を並べ替えながら再構成する方法でも便利ですが、わざわざ新規メモを作成しなくても同じメモを2画面で開けば、テキストや画像を片方の画面にドラッグするだけで、同じメモ内で文章を再構成できるのです。編集した内容は、両方の画面で瞬時に反映されます。またページ数の多いPDFで、別々のページを開いて確認したり修正したい時は、No078で紹介する「PDF Expert」を使ってみましょう（同じ記事で紹介する「PDF Viewer Pro by PSPDFKit」の方は非対応）。なお、オフィスアプリも同じファイルを同時編集できると便利そうですが、NumbersやExcelは同じアプリを2つ同時に起動できるものの同じファイルは開けず、Googleスプレッドシートは同じアプリを2つ同時に起動できません。

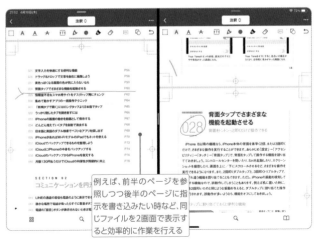

例えば、前半のページを参照しつつ後半のページに指示を書き込みたい時など、同じファイルを2画面で表示すると効率的に作業を行える

No078の「PDF Expert」を使えば、左右の画面で同じPDFファイルを開いて、左右それぞれの画面で注釈などを書き込める。片方の画面で行った編集は、もう片方の画面にもすぐに反映される。

S E C T I O N 01
012

コントロールセンターの
隠し機能を知っていますか?

通常は表示されない隠しボタンを表示させよう

　iPadOSのコントロールセンターには、いろいろな隠し機能が用意されています。たとえば、機内モードやWi-Fiのボタンが表示されている領域をロングタップしてみましょう。新たな画面がポップアップされ、AirDropやインターネット共有などの設定ボタンが表示されるはずです。また、フラッシュライトのボタンをロングタップすれば、光の強さを5段階で調整することができます。このように各種ボタンをロングタップすると、隠されていたそのほかの機能が現れるのです。また、設定からコントロールセンターのカスタマイズを行えば、標準では表示されていない「画面収録」や「ボイスメモ」といった新たな機能を追加することもできます。自分がよく使いそうな機能を並べておきましょう。

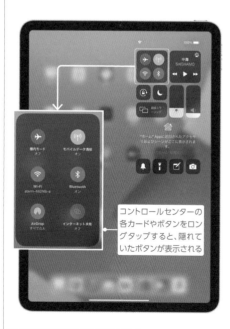

コントロールセンターの各カードやボタンをロングタップすると、隠れていたボタンが表示される

コントロールセンターを
カスタマイズする

追加したい機能の「+」ボタンをタップ

「設定」→「コントロールセンター」をタップ。ここからコントロールセンターに機能を追加可能だ。ボタンの削除や並べ替えも行える。

013 黄色っぽくなる 画面の色が気に入らないなら

True Tone機能をオフにしてみよう

　一般的なディスプレイは、環境光の違いによって色の見た目が変化します。たとえば、太陽光と蛍光灯の下では、同じ画像を表示しても色合いが異なって見えるのです。比較的新しいiPadでは、この問題を解決するため、どんな環境下でも同じような色合いで発色できる「True Tone」機能が搭載されています。環境光をセンサーで感知し、画面の色を自動調整してくれるのです。しかし、環境によってはTrue Toneで調整された色が不自然に見えることも。特に蛍光灯の下では、画面が黄色がかって見える傾向が強いようです。もし、黄色い画面が気になるのであれば、「設定」→「画面表示と明るさ」にある「True Tone」をオフにしておきましょう。

True Toneオンの状態

True Toneがオンの状態。蛍光灯の下だとやや黄色がかった画面になる。

True Toneオフの状態

True Toneをオフにすると、色合いの補正がなくなり、全体的に青みがかった画面になる。

SECTION 01

014

「新規タブで開く」には
ロングタップより2本指でタップ

リンク先を別のタブで開きたいときに便利

　Safariでリンクを開くとき、今のページはこれはこれで残しておいてリンク先は別のタブで開きたい場合があります。そんな時は、リンクをロングタップしてメニューから「新規タブで開く」を選択すればよいのですが、もっとサクサク操作できる方法があります。リンクを2本指でタップすればよいのです。特に、ページ内のリンク先をひと通りチェックしたいときなどは、2本指でどんどんリンクをタップしていけば、リンク先が別のタブで開いていきます。なお、「設定」→「Safari」で「新規タブをバックグラウンドで開く」がオフだと、画面がリンク先の新規タブ側に切り替わってしまうので注意しましょう。

2本指タップでリンク先を新規タブで開く方法

1 | Safariでリンクを2本指でタップ

2 | リンク先のページが新規タブで開く

Safariでリンクをタップする際、2本指でタップすると、別のタブでリンク先を開くことができる。

うっかり閉じたタブを
開き直すには

「最近閉じたタブ」画面で再表示しよう

015

SafariでWebサイトをブラウジングしている際、必要なタブをうっかり閉じてしまうことがあります。タブ自体を閉じてしまうと、戻るボタンでは再表示できず、どのWebサイトを見ていたのか思い出すのもひと苦労です。そんな場合は、Safariの「最近閉じたタブ」を利用しましょう。「最近閉じたタブ」画面は、画面右上の「+」ボタンをロングタップすれば表示可能です。ここでは、過去に閉じたタブのページタイトルやURLが一覧表示されます。ページタイトルをタップすれば、新たなタブで開き直すことができます。

Safariで最近閉じたタブを開く

1 「+」を ロングタップする

Safariで閉じたタブを再表示したい場合は、画面右上の「+」ボタンをロングタップする。

2 最近閉じたタブ 一覧が表示される

過去に閉じたタブが一覧表示されるので、再表示したいものをタップすればOKだ。

SECTION 01

016 どんどん増えていく タブを自動で消去する

しばらく使っていないタブは自動で閉じよう

SafariでWebサイトを閲覧していると、いつの間にか大量のタブが開きっぱなしになっていないでしょうか。Safariでは新しいタブを無制限に開くことができますが、あまり多くのタブを開いていると、別のタブに切り替えたい時にタブ一覧から探し出すのが大変です。かといって、開きすぎたタブをいちいち手動で閉じるのも面倒。そこで、しばらく表示していないタブは、自動的に閉じる設定にしておきましょう。「設定」→「Safari」→「タブを閉じる」を開くと、最近表示していないタブを、1日／1週間／1か月後に閉じるように設定しておけます。

「タブを閉じる」で 閉じる期間を設定

「設定」→「Safari」→「タブを閉じる」をタップ。最近表示していないタブを自動的に閉じるまでの期間を、「1日後」「1週間後」「1か月後」から選択しておこう。

自動で閉じる期間を選択

017 本当はもっと凄い！ Siriの知られざる活用法

Siriを使って各種操作をスピーディに実行

　「Siri」は、iPadに話しかけることで情報の検索や、さまざまな操作を実行してくれる機能です。「最寄り駅はどこ？」や「近くのコンビニを探して」などと音声検索のために使っている人も多いでしょう。そのほかにも「16,820円を5人で割り勘」と言って割り勘を計算したり、「この曲は何？」と言って曲名を調べたり、さらには「家に帰ったらごみを捨てるとリマインド」といってリマインダーに予定を登録するなど、一歩進んだ使い方も可能です。Siriをただの検索ツールとして使っているだけでは、まだまだ真価を引き出しているとは言えません。ここでは、普通に使っているとあまり気づかない、Siriの隠れた活用法を解説してきましょう。

Siriの基本的な使い方を覚えておこう

1 Siriの機能を 有効にしておく

まずは「設定」→「Siriと検索」を確認。上で示した項目のどちらかがオンになっていれば、Siriを呼び出すことができる。

2 Siriを起動して 情報を検索

電源（ホーム）ボタンの長押しなどでSiriを呼び出したら、「明日の天気は？」などと話しかけてみよう。即座に最適な検索結果が表示される。

Siriにいろいろなことを頼んでみよう

周辺にあるコンビニを
リストアップする

Siriに「近くのコンビニは?」と聞くと、周辺のコンビニを検索して一覧表示してくれる。コンビニ名をタップすればマップ表示もできる。

飲み会の割り勘計算も
Siriにおまかせ

「16,820円を5人で割り勘」と話しかければ、1人あたりの金額を計算してくれる。飲み会の幹事さんにはありがたい機能だ。

流れている音楽を
聴き取って楽曲検索

「この曲は何?」とSiriに話しかけて曲を聴かせると、曲名を検索してくれる。BGMなどで流れている曲名を知りたいときに便利。

覚えておきたいことを
リマインダーに登録

Siriに「家に帰ったらごみを捨てるとリマインド」と話しかければ、覚えておきたい要件をリマインダーアプリに登録できる。

保存済みのパスワードを確認する

タップしてパスワードを表示。もちろんTwitterに限らずさまざまなWebサービスなどのパスワードを確認できる

例えば「Twitterのパスワード」と話しかけてFace(Touch) IDなどで認証を済ませると、「設定」→「パスワード」に保存されているTwitterのアカウントが一覧表示される。

今日届いたメールを一覧表示する

タップしてメールを表示

「今日のメール」と話しかけると、受信日が今日のメールが表示される。「昨日」や「一昨日」、「先週」、「先月」などで該当するメールを抽出することも可能だ。

自分好みの新曲を再生する

曲の再生中に「この曲は好き」「この曲は好きじゃない」とSiriに伝えると、Siriが好みの曲を学習する

Apple Musicを利用中は、「新曲ミュージック」と話しかけると、好みにあった新曲だけをセレクトして次々に流すラジオステーションを作成し再生してくれる。

音量を細かく調節する

音量を上げて（下げて）で10%ずつ、音量を少し上げて（下げて）で5%ずつ調整できる

「現在の音量は?」と話しかけると、最大音量の何%かを教えてくれる。「音量を○%にして」と伝えると、1%単位で音量を細かく調整することが可能だ。

Siriの翻訳機能を使う

1 | Siriの言語設定を確認しておこう

> Siriでは、ここで設定した言語をベースにして別の言語に翻訳できる

Siriは翻訳することもできる。まずは「設定」→「Siriと検索」→「言語」を確認してみよう。「日本語」になっていれば、日本語から英語などに翻訳可能だ。

2 | Siriで日本語から英語に翻訳する

Siriを起動して「グランドセントラルまではどう行けばいいですかを英語で」などと話しかける。すると、英語の対訳が表示されて音声再生することが可能だ。

Siriに自分や家族を覚えさせる

1 | 「自分の情報」で自分の連絡先を選択する

> 自分の連絡先を選択しておく

Siriに自分や家族の連絡先を覚えさせると、より便利に使うことができる。まずは「設定」→「Siriと検索」→「自分の情報」で自分の連絡先を選択しておこう。

2 | 家族の名前をSiriに覚えさせる

Siriに「母に電話する」などと話しかけてみよう。「あなたのお母さんのお名前は何ですか?」と聞かれるので、母親の名前を伝える。これでSiriが母の連絡先を覚えるのだ。ほかにも、兄や娘、妻、彼氏、上司なども登録できる。

使いこなし
ヒント

家族として登録した連絡先を削除・変更する

家族として登録した連絡先は、自分の連絡先カードに「関係と名前」情報として登録される。あとで変更や削除を行いたい場合は、「連絡先」アプリで自分の連絡先を開き、関係と名前の欄を編集しよう。

018

「Hey Siri」と呼びかけて Siriを起動させよう

セキュリティ強化にも有効な機能

　iPadOSには、音声アシスタント機能の「Siri」が搭載されています。Siriを起動するには、ホームボタンのない機種であれば電源ボタンを長押し、ホームボタンのある機種であればホームボタンを長押しすればOKです。あとは「今日の天気は?」や「音楽を聴かせて」、「山田さんにFaceTime通話して」などとiPadに話しかければ、Siriが検索結果の表示やアプリの操作などを行ってくれます。Siriはバージョンアップを重ねてますます賢くなっており、適当な言い回しでも意味を汲み取ってくれますし、ジョークにも反応してくれるなど、なかなか柔軟な対応を見せてくれる便利で楽しい機能です。ただし、プライバシーの観点から見ればやや危険な機能でもあります。例えば、「設定」→「Siriと検索」→「ロック中にSiriを許可」がオンになった状態だと、自分以外の人が「FaceTime」や「メッセージ」と話しかけてもSiriが反応します。さらに「妻」や連絡先にある適当な名前を伝えると、そのままFaceTime通話を発信したりメッセージを送信できてしまうのです。これを防ぐためにも設定しておきたいのが、「Hey Siri」機能です。「設定」→「Siriと検索」→「"Hey Siri"を聞き取る」をオンにし、「続ける」をタップ。画面の指示に従っていくつかのセリフを読み上げ、自分の声を登録しておきましょう。iPadに「Hey Siri(ヘイシリ)」と呼びかけるだけで、Siriが起動するようになります。この時、Siriには自分の声を登録しているので、他人の声で「Hey Siri」と呼びかけても起動しないというのがポイント。さらに、「設定」→「Siriと検索」→「トップ(ホーム)ボタンを押してSiriを使用」をオフにしておくことで、電源ボタンやホームボタンの長押しではSiriが起動しなくなり、「Hey Siri」という自分の声にだけ反応して起動する、という状態にできます。つまり、基本的に他人がSiriを利用できなくなるのです。セキュリティを考えるとこちらのほうが安全なので、ぜひ「Hey Siri」の設定を済ませておきましょう。

「Hey Siri」でSiriを起動させるための設定

1 | 「"Hey Siri"を聞き取る」を オンにする

「"Hey Siri"を聞き取る

オンにする

「Hey Siri」と呼びかけてSiriを起動させたいなら、まず「設定」→「Siriと検索」→「"Hey Siri"を聞き取る」をオンにしておこう。

2 | 「"Hey Siri"を聞き取る」を オンにする

iPadに向かって、"Hey Siri"と言ってください

「Hey Siri」や「Hey Siri、今日の天気は?」など、いくつかセリフが表示されるので読み上げていこう。これにより自分の声を認識してくれるようになる。

Hey Siri、 音楽をかけて

設定を終えれば、「Hey Siri」と呼びかけるだけでSiriの画面が起動するようになる。

使いこなし ヒント

ロック画面ではSiriを起動させない

「Hey Siri」の設定を済ませておけば自分の声にだけ反応するようになるが、確実ではない。Siriの利便性よりもセキュリティを最優先するなら、「設定」→「Siriと検索」→「ロック中にSiriを許可」をオフにしておこう。画面ロックを解除しないとSiriが起動しなくなる。

Siriへの問いかけや返答を文字で表示したい

話した内容がテキストで残って分かりやすい

Siriに頼んだ内容が正しく認識されているか確認したい時や、うまく伝わらず間違った結果が表示される場合は、「設定」→「Siriと検索」→「Siriの応答」で、「話した内容を常に表示」のスイッチをオンにしましょう。自分が話した内容がテキストで表示されるようになり、自分の質問のテキストをタップすることで正しい質問に書き直すこともできます。また、「Siriキャプションを常に表示」をオンにしておくと、Siriが話した内容がテキストで表示されるので、Siriの音声読み上げがオフの状態でもテキストでSiriの返答を確認できて便利です。なお、Siriの音声読み上げをオフにするには、iPhone側面のサイレントスイッチをオンにして消音モードにした上で、「Siriの応答」→「消音モードがオフのとき」にチェックしましょう。

1 | Siri応答の設定を変更する

オンにしておく

「設定」→「Siriと検索」→「Siriの応答」で、「Siriキャプションを常に表示」と「話した内容を常に表示」をオンにしておく。

2 | 話した内容がテキスト表示される

自分が問いかけた内容やSiriの返答が表示される

自分が話したテキストをタップすると正しい質問に修正できる

自分がSiriに話した内容やSiriの返答（Siriキャプション）がテキストで表示される。また、自分の質問のテキストをタップして、誤認識を修正することもできる。

近くにあるiPhoneのSiriが反応してしまう場合は

iPhoneを伏せておけば反応しない

iPad以外にiPhoneやMacなどでも「Hey Siri」（No018で解説）を設定している場合は、「Hey Siri」と呼びかけた際に、すべてのデバイスがいっぺんに反応しない仕組みになっています。デバイス同士がBluetoothで素早く通信して、リクエストの内容を正確に聞き取ったデバイスか、最近手に取ったり使ったデバイスだけが反応するようになっているのです。最近使ったデバイスがiPadなのに、「Hey Siri」でiPhoneが反応してしまう時は、両方のデバイスでBluetoothがオンになっているか、iPhoneとiPadがBluetoothの通信範囲にあるかを確認しましょう。それでもiPhoneが優先して反応してしまう時は、iPhoneの画面を伏せて置いておくと、「Hey Siri」に反応しなくなります。なおMacの場合は、ディスプレイを閉じておけば「Hey Siri」に反応しません。

iPadとiPhoneが近くにあり両方でBluetoothがオンなら、「Hey Siri」の呼びかけで最近使ったデバイスだけが反応するのだが、最近使ったのがiPadなのにiPhoneが反応してしまうこともある。そんな時はiPhoneを伏せた状態で机に置いてみよう。iPhoneが「Hey Siri」に反応しなくなる。

021 写真やファイルの受け渡しを一瞬で行う

AirDropでファイルを手軽に送受信できる

　家族が撮った写真を自分のiPadに保存したい場合や、iPad内にある書類を相手に渡したい場合、あなたはどんな方法で送受信しますか？　一般的には、メールやLINE、クラウドストレージを使う、といった方法を取るでしょう。ただ、もし交換する人同士が近くにいて、どちらもiPadやiPhoneを使っているのであれば、「AirDrop」を使ったファイル送受信がもっとも手軽です。AirDropを使うには、双方の端末が近くにあり、それぞれWi-FiとBluetoothがオンになっている必要があります。なお、Wi-Fiはアクセスポイントに接続している必要はありません。使い方は簡単。受信側の端末でAirDropの設定を「すべての人」にしておき、送信側で写真やファイルを共有するだけです。ほかにも、連絡先やメモ、ブックマークなど、さまざまな情報を交換できるので使いこなしてみましょう。

AirDrop受信側の設定を「すべての人」にしておく

1 | コントロールセンターを開く

画面の右上を下にスワイプしてコントロールセンターを開き、機内モードやWi-Fiのボタンが表示されている枠内をロングタップ。

2 | 「AirDrop」をすべての人に設定

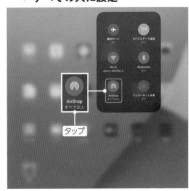

「AirDrop」のボタンをタップして、「すべての人」を選択しておけば、近くにあるどのiPhoneやiPad、Macからでも写真などを受信できるようになる。

AirDropを使った写真の送信方法

1 | 送信側で写真を選んで 共有ボタンをタップ

共有ボタンをタップ

写真を送りたい端末側で、写真アプリを起動。送信したい写真を開いたら、画面右上の共有ボタンをタップしよう。複数の写真を選択して共有ボタンをタップしてもよい。

2 | AirDropで送りたい 人の名前を選択

タップ

受信側の端末でAirDropの受け入れ体制が整っていれば、「AirDrop」ボタンをタップするとその端末名が表示されるのでタップ。

受け入れる ──── タップ

3 | 受信側に写真 が送信される

受信側に写真が送られると、左のような画面が表示される。「受け入れる」をタップすれば、写真が受信され写真アプリに保存されるのだ。

使いこなしヒント

AirDropの受信が終わったら「受信しない」にしておこう

AirDropによる受信が終わったら、受信側のAirDrop設定を「連絡先のみ」か「受信しない」に変更しておこう。「すべての人」のままにしておくと、他人にあなたの端末名を見られたり、不快な写真を送られたりする危険がある。

Wi-Fiのパスワードを
一瞬で共有する

友達が遊びに来たときにもすぐ接続できる

022

すでに自分のiPhoneが接続しているWi-Fiに、自分のiPadを接続したい場合、いちいちWi-Fiパスワードを入力し直していませんか？ iOSおよびiPadOSでは、Wi-Fiパスワードを端末間で共有する機能があるので、それを利用してみましょう。まず、Wi-Fi未接続のiPad側で、Wi-Fiのパスワード入力画面を表示します。次に、Wi-Fi接続済みのiPhoneを近付けると、「Wi-Fiパスワード」画面が表示されるので「パスワードを共有」をタップ。これでWi-Fiパスワードが端末間で共有され、Wi-Fiに接続できるようになります。なお、自分のApple IDが相手の連絡先アプリに登録してあれば、他人の端末にもWi-Fiパスワードを共有可能です。自宅に友達が遊びに来て、Wi-Fi接続を行いたいときに使ってみましょう。

1 | Wi-Fiネットワークをタップしパスワード入力画面を表示

まずはWi-Fiに接続するiPadで「設定」→「Wi-Fi」をタップ。続けて接続したいネットワーク名をタップする。パスワード入力画面になるので、そのまま待機。Wi-Fi接続済みのiPhoneを近づけよう。

2 | パスワードを共有する

すると、接続済みのiPhone側が上のような画面になる。「パスワードを共有」をタップすれば完了だ。

SECTION
01

023

わずらわしい通知は躊躇なくオフにしていこう

通知センターから通知の表示方法を管理できる

　何も考えずにたくさんのアプリをインストールしたら、通知が頻繁に表示されるようになってしまってわずらわしい……。そんな人は、通知の設定を見直してみましょう。通知センターに通知が残っているなら、オフにしたい通知を左にスワイプして「管理」をタップ。「目立たない形で配信」を選べば、通知は通知センターのみで表示されるようになり、サウンドやバナー、バッジ表示もオフになります。「オフにする」を選べば、完全に通知をオフにすることが可能です。あまり使わないアプリの通知は、思い切ってオフにしましょう。また、メールの通知はアカウントごとに設定可能なので、メルマガしかこないようなアカウントの通知はオフにしておくとすっきりします。

直近の通知をオフにするのであれば、通知センターの通知を左にスワイプして（スワイプし過ぎると消去されるので注意）、「管理」をタップ。

上のような画面になるので、「目立たない形で配信」か「オフにする」を選択しよう。「設定」をタップすれば、より細かい通知設定が行える。

通知はバッジだけでも十分伝わる

024

バナー表示や通知音が邪魔に感じる人へ

　iPadOSの通知機能は、着信やアプリの最新情報を見逃さずに済むので大変便利です。ただし、過度な通知は邪魔になることも。たとえば、動画を楽しんでいるときや勉強しているときに、通知表示や通知音が何度も繰り返されるのはうっとうしいものです。とはいえ、通知が邪魔だからといって、アプリの通知をすべてオフにしてしまうのも現実的ではありません。そんなときは、アプリの通知を「バッジ」表示のみにしてしまいましょう。「ロック画面」や「通知センター」、「バナー」といった通知表示（以下参照）や通知音をオフにするので、通知が発生しても邪魔になりません。もちろん、通知があったかどうかはバッジ表示で判別可能です。即座に反応する必要がないアプリの通知設定におすすめです。

通知の表示方法には次の3種類がある

ロック画面と通知センター

ロック画面では直近の通知が表示されるほか、画面中程を上にスワイプすると、通知センターで過去の通知をまとめて確認できる。その他の画面で通知センターを開くには、画面上部の中央から下にスワイプ。

バナー

iPadの使用中に通知があると、画面上部に「バナー」形式で表示される。バナーを自動で閉じるか、何か操作するまで表示し続けるかも、通知設定で選択できる。かなり目立つので重要な通知に使いたい。

通知をバッジ表示だけにする方法

設定のスイッチをオンにする

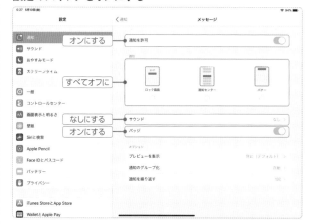

「設定」→「通知」を表示して、アプリごとの通知設定を行おう。通知がそれほど必要ないアプリは、バッジ表示だけにして、あとはオフにするのがオススメ。

> バッジ
> だけで十分

通知が配信されると、アプリアイコンに赤い数字が表示される。即座に反応する必要がなければ、これだけで通知の効果は十分だ。

使いこなし
ヒント

バッジ表示のみにしておきたいアプリとは?

通知が重要なアプリは、FaceTimeやメール、LINE、SNS系など、即時対応が必要になるものだ。それ以外のアプリで通知が邪魔と感じたものは、すべてバッジ表示にしておいてもそれほど問題は発生しない。なお、メールやメッセージ、LINEも、レスポンス速度を気にしなければバッジのみでかまわないだろう。迷惑メッセージが大量に来てもそれほど気にならなくなる。

パスワードはぜんぶ
iPadに覚えてもらおう

025

複雑なパスワードを自動生成&自動入力

　アプリやWebサービスで新規アカウントを作成する場合、必ず設定するのがパスワードです。パスワードを覚えるのが面倒で、単純なパスワードを使いまわしている人もいるかもしれません。しかし、今の時代、パスワードの使い回しは非常に危険です。万が一、あるサービスで使っていたアカウント情報が漏れてしまった場合、パスワードを使いまわしているほかのサービスも同時に乗っ取られる可能性があります。また、パスワードは、少なくとも10文字以上の長さで、数字や記号、アルファベットなどを組み合わせた複雑なものを使うことが推奨されます。「そんな複雑なパスワード覚えられない……」と思う人もいるでしょう。そもそも、自分の頭でパスワードを覚えるのは無理なので、パスワード管理系のアプリや機能を使いましょう。そこで活用したいのが、「iCloudキーチェーン」というiPadOSの標準機能です。これを使えば、ログインに必要なメールアドレスやパスワードをiCloudに保存し、次回のログイン時にワンタップで呼び出して自動入力することが可能。保存したパスワードは、同じApple IDを使っているiPhoneやiPad、Macにも自動同期されるので、別の端末で再度ログインする際もパスワードの自動入力が行えます。ほかにも、新規アカウント作成時に強力なパスワードを自動生成したり、同じパスワードを使いまわしているアカウントを警告する機能も備えています。iCloudキーチェーンを使えば、面倒だったパスワード管理が安全かつ手軽に行えるようになるのです。各種アプリやWebサイトへのログインが断然楽になるのでぜひ使いこなしてみましょう。なお、「1Password」など、他社製のパスワード管理アプリをすでに使っている人は、iCloudキーチェーンと連携させることが可能です。たとえば、パスワードの自動入力時に表示される鍵マークをタップすると、iCloudキーチェーンと他社製アプリのどちらの情報を使うかを選択することができます。設定次第では、iCloudキーチェーンは使わず、他社製アプリのみを使うといったことも可能です。パスワードの自動入力関連は、「設定」→「パスワード」→「パスワードを自動入力」から管理できるので、自分の好きなように設定しておきましょう。

iCloudキーチェーンならパスワードを保存して自動入力できる

ログイン時にメールアドレスとパスワードが必要

アプリやWebサイト用のアカウントにログインする場合、メールアドレスやパスワードを入力する必要がある。いちいち思い出して入力するのは結構面倒だ。

保存したメールアドレスとパスワードが自動入力される

iCloudキーチェーンを利用すれば、メールアドレスとパスワードを保存して、ワンタップで自動入力できる。複雑なパスワードをすべて覚える必要もない。

使いこなし
ヒント

Chromeで保存したパスワードを自動ログインに使う

普段パソコンなどでChromeを使っている人は、iPadにもChromeをインストールして、「設定」→「パスワード」→「パスワードを自動入力」で「Chrome」にチェックしておこう。Chromeで保存済みのパスワードを自動ログインに使える。

iCloudキーチェーンを有効にしておこう

1 | iCloudの設定を表示する

まずは、iCloudキーチェーン機能が有効か確認しよう。設定の一番上に表示されるApple IDをタップし、「iCloud」をタップ。

2 | キーチェーンをオンにする

iCloudのサービス一覧から「キーチェーン」をタップ。「iCloudキーチェーン」をオンにしておこう。

新規アカウント作成時にパスワードを自動生成する

1 | パスワードを自動生成する

iCloudキーチェーンでは、解析されにくい強力なパスワードを自動生成させることが可能だ。アプリやWebサービスの新規アカウント登録画面を表示したら、パスワードの設定欄をタップ。これで強力なパスワードが提案される。「強力なパスワードを使用」をタップすれば、そのパスワードが登録され、アカウント情報もiCloudキーチェーンに保存される仕組みだ。なお、自分でパスワードを考えて入力したい場合は「独自のパスワードを選択」を選ぼう。

2 | 「パスワードを保存」をタップする

新規アカウントを登録すると、上のような表示が出るので「パスワードを保存」をタップしよう。これで同じApple IDを利用しているすべてのデバイスでパスワードが共有される。

ログイン時に保存したパスワードを自動入力する

1 | パスワードの自動入力をオンにする

オンにする

パスワードの自動入力を使うなら、「設定」→「パスワード」→「パスワードを自動入力」をオンにしておこう。

2 | アカウント情報が自動入力される

自動入力される

入力するアカウントを選択

アプリやWebサービスでログイン画面を開き、入力欄をタップすると、キーチェーンに保存済みのアカウントがキーボード上部に表示されるようになる。これをタップすれば、メールアドレスやパスワードが自動入力される。

保存しているパスワードを管理する

1 | 保存されているパスワードを確認

保存済みのアカウント情報

「設定」→「パスワード」で、キーチェーンに保存されているアカウント情報が一覧表示される。ユーザ名とパスワードの編集や削除も可能だ。

2 | パスワードの脆弱性をチェックする

タップしてパスワードを変更できる

「セキュリティに関する勧告」をタップすると、漏洩の可能性があるパスワードや使い回されているパスワードが表示され、その場でパスワードを変更できる。

使いこなしヒント

ほかのパスワード管理アプリと連携する

「1Password」などのパスワード管理アプリを使っている場合は、キーチェーンの自動入力時に鍵マークから切り替えることができる。「設定」→「パスワード」→「パスワードを自動入力」をタップし、連携したいアプリ名にチェックを入れておこう。

1Password
作者 AgileBits Inc.　価格 無料

026 カーソルをスイスイ動かす
キーボード操作術

ドラッグでカーソルを拡大しよう

　文章に文字を挿入したい場所を指でタップしても、うまく目的の場所が指定できなくてイライラする……といった経験は誰しもあると思います。そんな時は、カーソルを指でタッチし、そのままドラッグしてみてください。カーソルが大きく見やすく表示されて、目的の位置にスムーズに移動できるようになるはずです。カーソルはドラッグすると常に指の少し上に表示されるので、指に隠れることなく位置を調整できます。これはメモなどのアプリだけでなく、Safariのアドレスバーなど、1行分の入力欄しかない場合でも使えるテクニックなので、覚えておきましょう。また、スペースキーをロングタップするか、キーボード上に2本指を置くと、キーが消えて「トラックパッドモード」になります。このトラックパッドに切り替わったエリアを指でなぞることで、カーソルをスイスイ自在に動かすことができます。

1 | カーソルを拡大表示させて操作する

カーソルをドラッグする

テキスト内の適当な箇所をタップしてカーソルを表示させたら、カーソルをドラッグしてみよう。指の少し上にカーソルが拡大表示され、挿入位置を正確に確認しながらカーソルを動かせる。

2 | トラックパッドモードを利用する

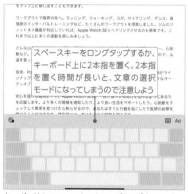

スペースキーをロングタップするか、キーボード上に2本指を置く。2本指を置く時間が長いと、文章の選択モードになってしまうので注意しよう

キーボードのスペースキーをロングタップするか、キーボード上に2本指を置くと、キーの表示が消えてトラックパッドモードになり、ドラッグしてカーソルを自由に動かせる。

027

文章の選択は2本指を使いこなそう

2本指のロングタップで範囲選択モードに移行

テキストの一部を範囲選択したい場合は、選択したい最初の文字をダブルタップし、そのまま最後の文字までドラッグしてみましょう。これだけでドラッグした範囲が選択状態になります。ただこの方法だと、タップした位置がずれて別の文字から選択が開始されることがありますし、うまく反応せずカーソルや画面が動く場合もあります。カーソルの位置から正確に範囲選択したいなら、2本指を使いましょう。まず画面内を2本指でタップしたまま、しばらく待ちます。すると、カーソルの上下に黄色い丸マークが表示され、範囲選択モードに切り替わります。あとは、そのまま指をドラッグすれば、カーソルを動かした範囲のテキストが選択状態になるのです。なお、単語や文章単位で選択したい時は、No028で紹介している複数回タップが早いので、うまく使い分けましょう。

2本指でタップしたまましばらく待つ

画面上を2本指でロングタップすると、カーソルの上下に黄色い丸マークが表示された範囲選択モードに切り替わる。この状態でカーソルを動かせば、動かした範囲のテキストが選択状態になる。また、キーボード上に2本指を置いて少し待機すると、トラックパッドモード（No026で解説）で文章を選択できる。

028 複数回タップで文章を効率よく選択する

単語や文章、段落は簡単に選択できる

　iPadで文章を選択する時は、No027で紹介したように2本指でロングタップしてからドラッグしたり、カーソルをタップして表示される編集メニューから「選択」をタップし、左右端のカーソルをドラッグして選択範囲を調整していると思います。文章の一部だけを選択したい時はこの方法でいいのですが、選択する範囲が単語や文章、あるいは段落ごとであれば、もっと素早く選択する方法があるので覚えておきましょう。まず文章を2回タップすると、タップした位置の単語が範囲選択されます。3回タップすると、タップした文字を含む段落が範囲選択されます。また、2本指でダブルタップすると、カーソル位置を含む句点（。）までの一文が範囲選択されます。これらの操作は「メモ」アプリなどで利用できますが、アプリによっては対応していないこともあるので注意しましょう。

2回タップで単語を選択

ワークアウトで限界の先へ。ランニング、ウォーキング、ヨガ、サイクリング、ダンス、高強度のインターバルトレーニングなど、たくさんのワークアウトを用意しました。ジムのフィットネス機器が対応していれば、Apple Watch SEとペアリングさせるのも簡単です。これまで以上に多くの運動を楽しみましょう。

どんな山も道もトレーニングも。距離、ペース、ラップ、ケイデンス、消費カロリー、心拍数など。手首を上げるだけで測定値をチェックできます。常時計測の高度計もあるので、山道を登っている時も下

| カット | コピー | ペースト | **B**I̲U̲ | 調べる | 共有... | インデント |

音楽、Podcast、オーディオブックを楽しみながら。Apple Musicには、7,500万曲がラインナップ。手首の上から、あなたを励ます音楽を届けます3。最新のPodcastや様々なオーディオブックも勢ぞろい。次々と新しいワークアウトに挑戦したくなるでしょう。

[2回タップ]

安心を届ける腕時計です。Apple Watch SEは、一段と健やかな毎日を送れるようにあなたを応援します。より多くの情報を通知したり、より良い生活をサポートしたり。心拍数をチェックして異常を見つけたら知らせるので、あなたはすぐに行動を起こしたり医師の診察を

文章内の単語だけを素早く選択したい場合は、2回タップしよう。タップした位置の単語が範囲選択される。

3回タップで段落を選択

れまで以上に多くの運動を楽しみましょう。

どんな山も道もトレーニングも。距離、ペース、ラップ、ケイデンス、消費カロリー、心拍数など。手首を上げるだけで測定値をチェックできます。常時計測の高度計もあるので、山

| カット | コピー | ペースト | 簡⇄繁 | B/U | 調べる | ユーザ辞書... | 共有... | インデント |

音楽、Podcast、オーディオブックを楽しみながら。Apple Musicには、7,500万曲がラインナップ。手首の上から、あなたを励ます音楽を届けます3。最新のPodcastや様々なオーディオブックも勢ぞろい。次々と新しいワークアウトに挑戦したくなるでしょう。

3回タップ

安心を届ける腕時計です。Apple Watch SEは、一段と健やかな毎日を送れるようにあなたを応援します。より多くの情報を通知したり、より良い生活をサポートしたり。心拍数をチェックして異常を見つけたら知らせるので、あなたはすぐに行動を起こしたり医師の診察を

段落ごとひとまとめに選択したい場合は、3回タップしよう。タップした文字を含む段落が範囲選択される。

2本指の2回タップで文章を選択

れまで以上に多くの運動を楽しみましょう。

どんな山も道もトレーニングも。距離、ペース、ラップ、ケイデンス、消費カロリー、心拍数など。手首を上げるだけで測定値をチェックできます。常時計測の高度計もあるので、山道を登っている時も下っている時も、今いる場所の高度を確認できます。 2本指で2回タップ

音楽、Podcast、オーディオブックを楽しみながら。Apple Musicには、7,500万曲がラインナップ。手首の上から、あなたを励ます音楽を届けます3。最新のPodcastや様々なオーディオブックも勢ぞろい。次々と新しいワークアウトに挑戦したくなるでしょう。

安心を届ける腕時計です。Apple Watch SEは、一段と健やかな毎日を送れるようにあなたを応援します。より多くの情報を通知したり、より良い生活をサポートしたり。心拍数をチェックして異常を見つけたら知らせるので、あなたはすぐに行動を起こしたり医師の診察を

句点（。）で区切られた文章を選択したい場合は、2本指で2回タップしよう。カーソル位置を含む文章が範囲選択される。

使いこなしヒント

全文選択したい時は「すべてを選択」が早い

すべての文章を選択したい場合は、文字をタップしてカーソルを挿入し、そのカーソルをタップ。するとカーソルの上部に編集メニューが表示されるので、「すべてを選択」をタップしよう。この画面の文章や写真なども含めて、全文選択された状態になる。

使い慣れたフリック入力を iPadでも使いたい

キーボード分割機能で利用できる

iPadの文字入力になかなか慣れないという人はけっこう多いと思います。ローマ字入力に抵抗がある人や、iPad独自の五十音順配列に違和感を感じる人など、さまざまな理由があるはずです。そこで、iPadでもフリック入力を使ってみてはどうでしょう。iPadのキーボードをどうやってフリックするの……? と疑問に思われるかもしれませんが、実は隠れた機能があるのです。iPadのキーボードは、「フローティングキーボード」に切り替えることで、iPhoneと同様の配列に小型化できるのです。この小型化したキーボードは、下部のバーをドラッグして自由な位置に動かせるので、iPadでも片手で操作できる位置に移動させた上で、「日本語 - かな」キーボードに切り替えれば、iPhoneのように親指でスムーズにフリック入力できるようになります。またキーボードを小型化させることで、画面を広く使えるようになるメリットもあります。

キーボードの設定を行う

1 | 「日本語 - かな」キーボードを追加する

「日本語 - かな」キーボードを使っていない場合は、「設定」→「一般」→「キーボード」→「キーボード」→「新しいキーボードを追加」→「日本語」で、「かな入力」をタップし、キーボードに追加する。

2 | フローティングキーボードにする

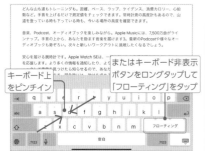

キーボード上をつまむようにピンチインするか、右下のキーボード非表示ボタンをロングタップして「フローティング」をタップすると、フローティングキーボードに切り替わる。

iPadでフリック入力を使う

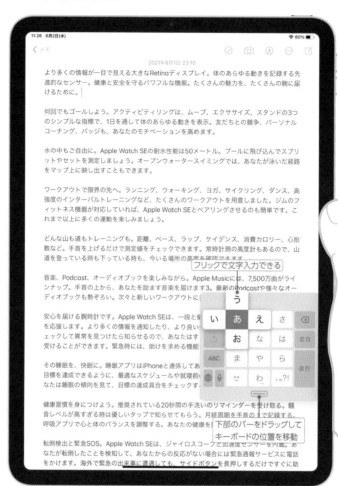

「日本語ーかな」キーボードに切り替えると、iPhoneのようなフリック入力が可能になる。下のバーをドラッグして、片手で入力しやすい場所に配置しよう。フローティングキーボードを解除したい場合は、キーボード上を広げるようにピンチアウトすれば、元のフルサイズのキーボードに戻る。

使いこなし
ヒント

キーを連打するケータイ入力も行える

フリック入力と同時に、キーを連続してタップして「あ→い→う→え→お」と入力文字を変更する、いわゆる「ケータイ入力」も利用できる。なお、「設定」→「一般」→「キーボード」で「フリックのみ」をオンにすれば、ケータイ入力を無効にできる。

3本指ジェスチャーで
文章を素早く編集する

コピーやペースト、取り消しも簡単

030

iPadで入力した文章をコピーしたりペーストしたい時は、カーソル位置をタップするか文字を選択した時に上部に表示される、編集メニューから操作するのが基本です。しかし3本指を使ったジェスチャーを使えば、より素早く簡単に、文字のコピーやペースト、取り消し、やり直しといった操作を行えるので、ぜひ使いこなしましょう。特に従来の取り消し操作は、重いiPad本体を振って「取り消す」ボタンを表示させるという、あまり実用的でないジェスチャーしか用意されていなかったので、3本指のジェスチャーさえ知っていれば、取り消しが格段に楽になります。

コピー&カット

3本指で1回つまむようにピンチインすると、選択した文字をコピーする。2回連続ピンチインでカット。

ペースト

3本指で広げるようにピンチアウトすると、コピーした文字を貼り付けできる。

取り消し

3本指で左にスワイプすると、直前の編集操作を取り消して元の文章に戻る。

やり直し

誤って取り消した場合は、3本指で右にスワイプすると、取り消しをキャンセルしてやり直せる。

031

ドラッグ&ドロップで
文章を自在に編集しよう

選択状態にしたテキストはドラッグで移動できる

　テキストを編集しているときに、ある文章を別の位置に移動したいと思ったら、その文章を選択状態にしましょう。次に選択状態のテキストをロングタップします。選択中の文章が浮かび上がったら、そのまま指でドラック&ドロップすることが可能です。ドラッグ中はカーソルが現れるので、移動したい位置に動かしましょう。指を画面から離せば、カーソル位置に選択した文章を挿入できます。いちいち「カット&ペースト」するよりもずっとラクに作業できるので、ぜひ覚えておきましょう。

まずは範囲選択したテキストをロングタップしよう。テキストが浮かんだ状態になったら、指でドラッグ&ドロップ。好きな位置にテキストを移動させることができる。

16:18 5月9日(木)　　　　　　　　　　　　　　　　　　　　　　　ıll 令 19%

＜ メモ

2019年5月9日 16:18

　変えていないのは名前だけ。iPadの誕生以来、私たちは変わらないビジョンを持ち続けてきました。あなたが求めるどんなものにもなれる。一枚の魔法のガラスを作りたい。そのビジョンを究極の形で体現したのが、新しいiPad Proです。Appleの最も革新的なテクノロジーによって、あらゆる部分が生まれ変わりました。これは今までのどんなiPadにも似ていません。それどころか、あなたが今までに見たこともないものです。

あなたが求めるどんなものにもなれる、

ロングタップ後
ドラッグ&ドロップ

メールアドレスを辞書登録しておくと何かとはかどる

ユーザ辞書によく使う単語を登録しよう

iPadOSには、日本語変換用のユーザ辞書機能があり、よく使う単語などを自分で登録しておくことができます。ユーザ辞書は、変換しにくい単語とよみをセットで登録するのが基本です。また、単語だけでなく短い文章も登録可能。たとえば、「よろ」と入力したら「よろしくお願いいたします。」と予測変換させるようなことができます（ただし、改行を含んだ文章は登録不可）。メールでよく使う挨拶文などを辞書登録しておくと、メール作成の効率もあがるでしょう。また、よく使うメールアドレスを単語として登録し、よみに「めーる」と設定しておけば、「めーる」と入力するだけでメールアドレスに変換できます。これで、アカウント作成やログイン時におけるメールアドレス入力の手間を大幅に削減可能です。なお、登録したユーザ辞書は、iCloudを介してほかのiPhoneやiPad、Macにも同期されます。ユーザ辞書をうまく活用して、ストレスのない快適な文字入力環境を整えておきましょう。

ユーザ辞書を活用しよう！

日常的によく使う文章や変換しにくい単語は、ユーザ辞書に登録しておこう。テキスト入力がスムーズになる。

ユーザ辞書に単語を登録して利用する方法

1 ユーザ辞書の設定画面を表示する

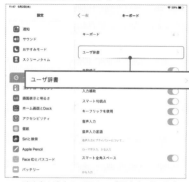

ユーザ辞書を設定する場合は、「設定」→「一般」→「キーボード」→「ユーザ辞書」をタップする。

2 ユーザ辞書を新規登録する

現在登録されているユーザ辞書の一覧画面が表示される。辞書を新規登録するには「＋」をタップしよう。

3 ユーザ辞書の単語とよみを登録する

辞書に登録する単語とよみを設定する。ここでは単語にメールアドレス、よみに「めーる」と入力した。右上の「保存」で辞書登録は完了だ。

4 登録した単語は予測変換で利用できる

メモアプリなどで「めーる」と入力してみよう。キーボード上部の予測変換候補に、辞書登録したメールアドレスが表示されるはずだ。

使いこなしヒント

そのほかユーザ辞書に登録しておくと便利な単語

ユーザ辞書には、矢印（→）や好きな顔文字など、よく使う記号などを登録しておくと便利だ。また、自宅の郵便番号や住所、電話番号なども辞書登録しておくと住所登録時の入力作業がスムーズになる。

文章の変換はたとえ確定した後だってやり直せる

あらためて入力し直す必要なし

テキスト入力時に誤変換した単語や文章を見つけた場合、どのように修正しますか？　通常であれば、誤変換したテキスト部分を削除し、正しいテキスト再入力する、という手順になるでしょう。しかし、もっと効率的な方法があります。それは、テキストの再変換機能を使う技です。iPadOSでは、変換を確定したテキストでも、選択状態にすれば予測変換で再変換することができます。この機能を利用すれば、いちいちテキストを再入力する必要もないので、素早く修正が可能です。

変換ミスを
見つけて
しまった…

テキストを再変換する方法

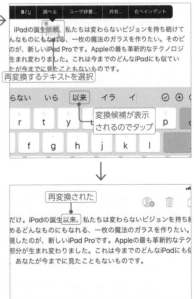

再変換するテキストを選択

変換候補が表示
されるのでタップ

再変換された

テキストを再変換したい場合は、再変換したい部分を
選択しよう。予測変換が実行されるので、正しい変換
候補をタップすれば再変換完了だ。

SECTION 01

034

集めて動かすアプリの一括操作テクニック

複数のアプリをまとめて移動するワザ

　ホーム画面に大量のアプリが並んでいると、目的のアプリを探すのにもひと苦労です。アプリは使用頻度や種類で分類し、ページを分けて配置しておくといいでしょう。とはいっても、大量のアプリをひとつひとつ配置し直すのは面倒なもの。そんなときは、複数のアプリを一括で移動できるテクニックを使ってみましょう。まず、ホーム画面で移動させたいアプリをロングタップします。アプリがプルプルと震えだしたら、ドラッグして少しだけ移動。次に、ドラッグした指を画面から離さず、別の指でほかのアプリをタップしてみてください。複数のアプリをひとつにまとめることができます。あとは好きな場所に移動させて指を離せばOKです。なおこの操作を使えば、「写真」で複数の写真を移動させたり、「ファイル」で複数のファイルをまとめられるほか、Googleドライブなど他社製アプリでも利用できます。

1 アプリを少し動かす

ロングタップして（メニューが表示されてもしばらく押し続ける）少しドラッグ

まずは、ホーム画面のアプリをロングタップ。アプリが振動し削除などが可能な状態になったら、どの方向でもよいので少しドラッグする。

2 別の指で他のアプリをタップ

タップしたアプリが集まる

そのまま指を離さず、別の指で他のアプリをタップしていくとひとつに集まるので、そのままドラッグすれば複数のアプリをまとめて移動可能だ。

iPadの画面の動きを
動画として保存する

コントロールセンターの「画面収録」を使う

　iPadは、画面の動きを動画ファイルに記録することができます。まずは、設定で
コントロールセンターをカスタマイズして、「画面収録」の機能を使えるようにしてお
きましょう。あとは、コントロールセンターから画面収録ボタンをタップすれば録画
開始。なお、画面収録と同時に自分が話す音声なども録音したい時は、「画面収
録」ボタンをロングタップし、マイクボタンをタップしてオンにしておきます。録画を
終了するには、画面左上の赤いマークをタップして「停止」をタップすればOKで
す。録画した動画はMP4形式で写真アプリに保存され、通常の動画と同じよう
に再生ができます。アプリの操作説明やゲームのプレイ動画を撮影したいときに
活用してみましょう。

1 | 画面収録の開始と停止

タップして録画開始

↓

タップして録画停止

「設定」→「コントロールセンター」で「画面収録」を追
加しておき、コントローールセンターから画面収録ボタン
をタップして録画開始。画面右上の赤いボタンをタッ
プして「停止」をタップすると録画終了。

2 | 画面収録中に音声も録音する

タップして録画開始

マイクをオンにする

外部音声も録音したい時は、画面収録ボタンをロン
グタップし、「マイク」ボタンをタップしてオンにしよう。
続けて「収録を開始」をタップすると録画を開始す
る。

036 日本語と英語のダブル検索で ベストなアプリを探し出す

検索キーワードを工夫して優秀なアプリを探そう

　App Storeでアプリを探す場合、単純に日本語だけで検索していませんか？
App Storeの検索機能はあまり高性能ではないため、自分の目的にあったアプリを探し出すには検索キーワードに工夫が必要です。たとえば、リマインダー系のアプリを探している場合、「リマインダー」と検索するだけでは不十分。英語の「reminder」でも検索してみてください。すると、また別のアプリが表示されるはずです。英語で検索しても、英語のアプリだけが表示されるわけではありません。きちんと日本語ユーザー向けのアプリもヒットします。ほかにも、関連する別のキーワードで検索すれば、また違ったアプリを発見できるかもしれません。たとえば、「タスク管理」、「Task」、「ToDo管理」、「ToDo list」といったキーワードです。いろいろと検索キーワードを考えて、幅広いアプリから優秀なものを探し出しましょう。

日本語と英語で アプリを探してみよう

日本語で検索

Q リマインダー ⊗

英語で検索

Q reminder ⊗

App Storeでアプリを探すのなら、日本語だけでなく英語でも探してみるといい。英語で検索したほうが、意外と優秀なアプリを見つけられることが多いのだ。

日本語と英語で
2回検索する

037 iPhoneがあればWi-Fiモデルのおadでもネットを使える

テザリングって知ってますか?

　データ通信を2つ契約するのは抵抗があるので、iPadはWi-Fiモデルを選んだという人は多いと思います。本体価格もセルラーモデル(SIMカードを挿入してモバイル通信を行えるモデル)より安いですしね。Wi-FiモデルのiPadは、その名の通りWi-Fiでしかインターネット接続を行えません。Wi-Fiサービスのあるカフェやホテルならよいのですが、いつでもどこでもネットを利用するというわけにはいきません。そこで覚えておきたいのが、「テザリング」という機能です。iPhoneやiPadでは、「インターネット共有」とも呼ばれます。これは、データ通信を行っているiPhoneを経由してiPadをインターネットに接続できる機能です。iPhoneのデータ通信をiPadが拝借する形ですね。ちなみに、auとソフトバンクの契約プランによっては、有料の「テザリングオプション」に加入しないと利用できません。新料金プランのahamoやpovo、LINMOなら、どれも無料でテザリングを使えます。詳しくは各キャリアのサイトや公式アプリで確認しましょう。テザリングでiPhoneとiPadを接続するには、まずiPhoneの「設定」→「モバイル通信」→「インターネット共有」で「ほかの人の接続を許可」をオンにします。すると、iPadの「設定」→「Wi-Fi」にiPhoneの名前が表示されますので、タップすれば接続完了です。ただし、iPhoneとiPadで同じApple IDを使ってiCloudにログインしており、両方がBluetoothをオンにしている必要があります。

iPhoneの"インターネット共有"機能を使用すると、iCloudにサインインしている別のデバイスからパスワード入力なしでインターネットにアクセスすることができます。

オンにする

ほかの人の接続を許可

"Wi-Fi"のパスワード　　　　22222222 >

"インターネット共有"設定で、またはコントロールセンター

iPhoneのインターネット共有を有効にする

iPhoneの「設定」→「モバイル通信」→「インターネット共有」で「ほかの人の接続を許可」のスイッチをオンにする。また、「設定」→「Bluetooth」でBluetoothも有効にしておこう。

iPadをiPhoneに接続する手順

1 iPhoneの名前を タップする

iPhoneと同じApple IDでiCloudにログインし、BluetoothもオンになっているiPadなら、「設定」→「Wi-Fi」にiPhoneの名前が表示されるので、タップすれば接続完了だ。別のApple IDを使っている場合は、Wi-Fi設定でiPhoneの名前をタップし、iPhoneの「インターネット共有」画面に表示されているパスワードを入力すればよい。

2 インターネットを 利用可能になった

iPhone経由でインターネットに接続した。Safariなどを起動して、接続を確認しよう。インターネット共有の利用中は、ステータスバーのバッテリー残量横に上記のようなアイコンが表示される。

使いこなし
ヒント

インターネット共有 利用中のiPhoneの表示

インターネット共有利用中のiPhoneでは、時刻表示部分がこのように青く表示される。iPhoneの契約データ通信量を消費するので、使いすぎないよう気をつけよう。また、「設定」→「モバイル通信」→「インターネット共有」に表示されるパスワードで、Androidタブレットやパソコンも接続可能だ。

いつもの操作をワンタップで実行するショートカット機能

複数アプリを組み合わせた処理を自分で作成

　iPadでいつも行う操作をワンタップで実行したいなら、標準の「ショートカット」アプリを使ってみましょう。複数アプリを組み合わせた各種操作をショートカットとして登録し、ウィジェットやSiriショートカットから実行するという優れものです。たとえば、撮影した新しい写真をツイートしたい場合。通常は、カメラで写真を撮影し、Twitterアプリを起動。新規ツイートボタンをタップし、添付する写真を選択。その後、テキストを入力し、ツイートするという手順が必要です。しかしショートカットを登録しておけば、カメラで写真を撮影し、ショートカットを実行するだけで、すぐに写真が添付済みのツイート画面が開くのです。ショートカットはゼロから自分で作ることも可能ですが、最初は「ギャラリー」から気になるショートカットを探してみましょう。簡易的なスクリプティング（入力の要求や条件分岐など）も可能なので、慣れればさらに高度な動作も実現できます。

ウィジェットやSiriなどから登録したショートカットを実行

ショートカットウィジェットを固定して一番上に表示

ショートカットは、Siriの音声やホーム画面に配置したアイコン、共有メニューのほか、ウィジェットからも実行できる。特にiPadOSではウィジェットをホーム画面に固定できるので、ショートカットのウィジェットが一番上に表示されるよう並べ替えておけば、素早くアクセスできる。

ギャラリーからショートカットを登録してみよう

1 | ギャラリーから ショートカットを選択

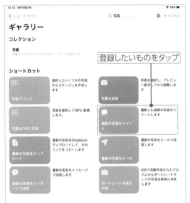

「ショートカット」アプリを起動したら、サイドメニューで「ギャラリー」を表示。気になるショートカット項目をタップしよう。右上の検索欄で、ショートカットのキーワード検索もできる。

2 | ショートカットを 設定する

表示された画面内を上にスワイプして「ショートカットを追加」をタップすると、このショートカットを追加できる。ショートカットによっては、設定の追加入力も必要になる。

3 | ショートカットの 登録完了

ショートカットの登録が完了すると、「すべてのショートカット」画面でボタンが表示される。このボタンをタップすれば実行可能だ。ショートカットの内容を確認・編集するには右上の「…」をタップ。

4 | Siriで呼び出す フレーズを変更

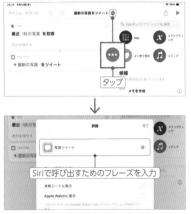

ショートカット内容の画面で、上部の「…」をタップすると内容を編集できる。ショートカット名は、そのままSiriで呼び出す音声コマンドにもなるので、名前を変更すれば、Siriで呼び出すフレーズを変えられる。

iCloudでバックアップ
できるものを整理しよう

「同期」と「バックアップ」で備える

　定期的なバックアップは、iPadを使う上で必ずやっておきたい作業です。バックアップを取っておけば、もしiPadが故障してしまっても、簡単にデータを復元することができます。また、機種変更でデータを移行したいときや、iPadをリセットして復元したいときなどにもバックアップデータが必要です。とはいえ、バックアップのやり方がいまいちわからない……という人も多いかもしれません。実は、「メール」や「連絡先」といった標準アプリの多くは、バックアップする必要がありません。これらのデータはすべて「iCloud」というWeb上のサーバに保存されているので、機種変更したりiPadを初期化しても、データが消えることはないのです。iPadを復元した後に、これまで使っていたApple IDでサインインするだけで、iCloud上に保存されたデータを読み込んで、以前と全く同じメールや連絡先に戻せます。これを「同期」と言います。同期とは、常に最新の状態をバックアップしておく機能だと思っておけばよいでしょう。では、iPadのバックアップ機能である「iCloudバックアップ」は何のためのものかと言うと、同期に対応していないその他のアプリや設定などのデータを復元するのに必要なバックアップ機能になります。アプリによってはバックアップできないデータもありますが（例えばLINEのトークを復元するにはLINEアプリ内でのバックアップ操作が必要です）、基本的には同期された標準アプリのデータと、iCloudバックアップのデータさえあれば、いざという時でもiPadを元の状態に戻せます。なお、写真の同期には少し注意が必要です。iPadで撮影した写真やビデオは、「設定」→「写真」→「iCloud写真」をオンにしておけば、iCloudで同期できます。しかしiCloudは無料だと5GBまでしか使えないので、撮りためた写真をすべてiCloudにアップロードしていると、すぐに容量が不足します。iCloudの容量は月額130円で50GBまで増やせるので、写真をよく撮る人はiCloud容量を追加購入しておくのがおすすめです（No042で詳しく解説）。

iCloudの「同期」で実質的にバックアップされる主なもの

写真
「iCloud写真」を
オンにした時の
み同期できる。

メール
「iCloudメール」
のメールのみ同
期できる。

連絡先
「iCloud」アカウ
ントに保存した
連絡先を同期。

カレンダー
「iCloudカレン
ダー」のスケジュ
ールを同期。

リマインダー
完了済みのタス
クなども含めて
同期される。

メモ
共有したメモや
フォルダの状態
も同期される。

メッセージ
iMessage以外
のSMSやMMS
も同期される。

Safari
ブックマークや
開いているタブ
が同期される。

ヘルスケア
記録されたアク
ティビティデータ
が同期される。

iCloud Drive
アップロードし
た各種ファイル
が同期される。

「iCloudバックアップ」でバックアップされる主なもの

Appデータ	アプリ内で保存しているデータ。アプリによってはAppデータが完全に復元できず、別途アプリ内でバックアップ作業が必要なものもある。アプリ本体はバックアップ対象にならないが、復元後に自動ダウンロードされる。
Apple Watch のバックアップ	Apple Watchのバックアップデータ。
デバイスの設定	iPadの各種設定。Wi-Fi接続やパスコード設定など。
HomeKitの構成	ホームアプリで設定したHomeKitの設定。
ホーム画面とAppの配置	ホーム画面の状態やアプリの配置。
iMessage	「メッセージ」の同期がオフの時は、メッセージの履歴がバックアップ対象になる。
iPad上の写真とビデオ	「iCloud写真」がオフの時にバックアップ対象にできる。写真とビデオの容量が大きく、iCloudの空き容量が足りない場合は、バックアップしない設定にもできる。
Appleサービスからの購入履歴	各ストアで購入した音楽、映画、テレビ番組、アプリ、ブックなどの購入履歴。各ストアでダウンロードしたコンテンツ本体はバックアップされず、復元時に自動ダウンロードされる。

※iCloudバックアップの対象となるものは、iPad本体に保管されている情報や設定のみとなる。

iCloudにiPadの中身を
バックアップする

iCloudバックアップを使ってみよう

　iPadのバックアップ方法としては、パソコンを使う方法もありますが、ここでは最も簡単な「iCloudバックアップ」によるバックアップ方法を紹介しましょう。iCloudバックアップでは、iCloudのクラウドストレージに端末のデータをバックアップします。まずは、「設定」のApple ID名をタップして「iCloud」から、iCloudのストレージ容量を確認。一番上のグラフで、ストレージに十分な空き容量があるかどうかを確認しておきましょう。通常、iPadをバックアップするには最低でも1.3GBぐらいは必要になります（写真やビデオを除いた場合）。空き容量があることを確認したら、「iCloudバックアップ」→「iCloudバックアップ」をオンにします。これで設定は完了。あとは、iPadが電源とWi-Fiに接続され、ロック状態のときに自動でバックアップが行われるようになります。電源に接続されていても、Wi-Fiに接続されていないとバックアップが実行されないので注意してください。

iCloudのバックアップを有効にする

1　「iCloudバックアップ」をタップする

iCloudバックアップを有効にするには、「設定」一番上のApple IDをタップし、「iCloud」→「iCloudバックアップ」をタップ。

2　iCloudバックアップをオンにしておく

「iCloudバックアップ」がオンになっていれば、iPadが電源とWi-Fiに接続され、ロック状態の時に、バックアップが自動で行われる。

iCloudで同期やバックアップする項目を選択する

1 | 同期するアプリを選択する

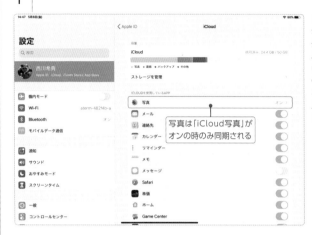

写真は「iCloud写真」が
オンの時のみ同期される

「iCloud」画面に表示されている、「メール」「連絡先」などの標準アプリは、スイッチをオンにしておけばiCloud上で同期されるので、実質バックアップになる。iCloud Driveを利用する他社製アプリの同期もオン／オフできる。

2 | バックアップするアプリを選択する

バックアップが不要な
アプリはオフにしておく

「iCloud」画面の「ストレージを管理」→「バックアップ」→「このiPad」をタップすると、バックアップ対象にする他社製アプリを選択できる。オンにしたアプリのデータは復元できるが、アプリによっては元に戻せないデータもある。

使いこなし
ヒント

iCloudを無料の5GBで使うなら写真関連をオフ

バックアップに写真やビデオさえ含めなければ、無料の5GBで十分足りる。まず「設定」→「写真」→「iCloud写真」の同期をオフにしておく。iCloud写真がオフの時は、バックアップ対象に「フォトライブラリ」項目が表示されるので、これもオフにしよう。

S E C T I O N

01

041

iCloudのバックアップから iPadを復元する

端末をリセットしてから復元作業を行う

iCloudバックアップで保存したデータは、いつでも復元させることが可能です。ただし、復元を行うには、一旦iPadを初期状態にリセット（端末内の全データを削除）しておく必要があります。まずは、「設定」→「一般」→「リセット」で「すべてのコンテンツと設定を消去」を実行しておきましょう。端末をリセットすると、再起動後に初期設定画面が表示されます。設定を進めていくと、途中で「Appとデータ」の画面になるので「iCloudバックアップから復元」を選択。あとは手順通りに進めれば、バックアップデータがダウンロードされて復元されます。

復元するにはiPadを一旦リセットしておこう

1 | 設定から 端末をリセットする

「設定」→「一般」→「リセット」→「すべてのコンテンツと設定を消去」をタップする。

2 | iPadのバックアップを 作成して消去

「バックアップしてから消去」をタップして最新バックアップを作成し、パスコードを入力して「消去」を2回タップすれば、端末が初期化される。

初期設定で復元する

1 復元方法を選択する

再起動後は初期設定の必要がある。画面の指示に従ってセットアップを進め、「Appとデータ」画面になったら、一番上の「iCloudバックアップから復元」を選択しよう。

2 復元するバックアップを選択

Apple IDでサインインすると、バックアップの履歴が一覧表示されるので、復元したいものをタップしよう。さらにセットアップを進めていくと復元が行われる。

これで復元完了!

アプリは自動でダウンロードされる

iPadが再起動してホーム画面が表示されたら復元完了。なお、各ストアで購入したアプリやコンテンツは、自動でダウンロードされる。また、以前と同じApple IDでサインインしていれば、メールや連絡先は同期され自動的に元の状態に戻る。

月額130円払うだけでiCloud の利便性が飛躍的に向上

iCloudストレージを50GBのプランに変更しよう

Apple IDを取得すると、5GBのiCloudストレージを無料で利用することができます。iCloudストレージには、iCloudで同期しているアプリのデータ(メールやメモ、連絡先など)、iCloudバックアップ(アプリのデータ、写真やビデオなど)、iCloud Drive、iCloud写真など、さまざまなデータが保存されます。また、iPhoneやMacで同じApple IDを使っている場合は、iCloudストレージも共用です。そのため、5GBの無料容量だと、普通に使っているだけですぐに足りなくなってしまいます。とくに写真やビデオをよく撮影する人は、5GBのままだと現実的に運用できません。空き容量がなくなると、iCloudバックアップなど各種機能も使えなくなるので大変不便です。iCloudを快適に使いたいのであれば、月額130円の50GBプランを購入するといいでしょう。これで容量不足に悩むことはなくなります。

「設定」→Apple ID名→「iCloud」→「ストレージを管理」→「ストレージプランを変更」をタップ。有料のストレージプランが表示されるので、購入したいものをタップしよう。通常であれば、月額130円の50GBで十分だ。

コミュニケーション を円滑にする 便利技

043 iPhoneの電話が鳴っている…でも手元にないときは

iPadでもiPhoneの電話に出られる

　iPhoneに電話がかかってきたけど隣の部屋にある……という時は、わざわざ取りにいかなくても、iPadが手元にあれば大丈夫。iPadでiPhoneにかかってきた電話を受けられますし、iPadからFaceTimeアプリで電話をかけることだってできるのです。ただ、事前にいくつか設定が必要です。まず、iPhoneとiPadの両方とも、同じApple IDでサインインしており、同じWi-Fiネットワークに接続する必要があります。iPhone側では、「設定」→「電話」→「ほかのデバイスでの通話」→「ほかのデバイスでの通話を許可」をオンにし、その下の端末一覧でiPadのスイッチもオンにしておきます。iPad側では、「設定」→「FaceTime」→「iPhoneからの通話」をオンにします。以上で、iPadからでもiPhoneの電話を受けたりかけたりできるようになります。どちらかがオフだと、鳴らない設定が優先されてしまうので、必ずiPhoneとiPad両方の端末で設定を済ませましょう。

iPhoneとiPadの通話設定を済ませる

1 iPhone側の通話設定

iPhoneでは「設定」→「電話」→「ほかのデバイスでの通話」→「ほかのデバイスでの通話を許可」をオン、その下「通話を許可」の「iPad」もオンに。

2 iPad側の通話設定

iPadでは「設定」→「FaceTime」→「iPhoneからの通話」をオンにしておく。iPhoneと同じApple IDでサインインし、同じWi-Fiに接続していることを確認。

iPhoneにかかってきた電話をiPadで受ける

iPhoneにかかってきた電話に、手元のiPadで応答できる。iPhoneに電話があるたびに毎回iPadでも着信音が鳴るので、不要ならiPhoneかiPadどちらかの設定をオフにしておこう。片方がオフだとiPadの着信音は鳴らない。

iPhoneのSMSを
iPadで送受信する

iPadでもSMSのメッセージをチェックしよう

0 4 4

iPadは仕様上SMSが使えないので、SMS対応のSIMカードを挿入していても、メッセージアプリで電話番号を宛先にメッセージを送受信できません。iPadのメッセージアプリは、基本的にiMessage専用なのです。しかし、iPhoneを持っているなら話は別。AndroidスマートフォンなどからiPhone宛てに届いたSMSを転送して、iPadで送受信することができます。iPadを使っている時にわざわざiPhoneを取り出してSMSを確認しなくても済むのです。まずiPhoneと同じApple IDでサインインを済ませ、着信用の連絡先にiPhoneの電話番号を登録。あとはiPhone側で「設定」→「メッセージ」→「SMS/MMS転送」をタップし、iPad名のスイッチをオンにしておけば、iPhone経由でSMS（およびMMS）の送受信が可能になります。なお、これはiPhoneを経由してSMSやMMSをやり取りするための機能なので、iPadから送っても送信元はiPhoneの電話番号になります。

iPhoneのSMSをiPadで送受信可能にする設定

1 iPad側の メッセージ設定

iPadで「設定」→「メッセージ」を開き、Apple IDでサインイン。「送受信」をタップして、送受信アドレス欄のiPhoneの電話番号にチェックしておく。

2 iPhone側の メッセージ設定

iPhoneでは「設定」→「メッセージ」→「SMS/MMS転送」をタップし、iPad名のスイッチをオンにしておく。

iPadのメッセージアプリでSMSを送受信する

1 | iPadからSMSを送信する

電話番号を宛先にすると、宛先や吹き出しが緑色になる。iPadだと、通常はこの状態で送信しても「未配信」になってしまう。

2 | iPhone経由でやり取りできる

「SMS/MMS転送」設定を済ませていれば、iPadでも問題なくSMSでメッセージをやり取りできる。もちろんiPhoneのメッセージアプリにも同期される。

使いこなし
ヒント

iPhoneとiPadのメッセージをiCloudで完全に同期させる

ここで解説したように、「SMS/MMS転送」を有効にすると、SMSでやり取りしたメッセージはiPhoneでもiPadでも表示される。またiMessageの場合も、双方で同じ受信アドレスを使っていれば、自動的に同期されてiPhoneでもiPadでも同じメッセージが表示される。ただ、iPhoneで以前やり取りしたSMSはiPadのメッセージに表示されないし、iPhoneとiPadでiMessageの受信アドレスを変えていると、それぞれのアドレスに届いたiMessageはそれぞれのデバイスでしか表示されない。iPhoneとiPadのメッセージで完全に同じ内容を表示させたい時は、iPhoneとiPadそれぞれで「設定」一番上のApple IDを開き、「iCloud」→「メッセージ」のスイッチをオンにすればよい。メッセージの内容はすべてiCloudにアップされ、最新の状態で同期するようになる。

オンにする

情報送信にはスクリーンショットを積極的に活用しよう

やっぱり画像で見せるのが一番早い

ネットで格好いいスニーカーを発見したから友達に教えたい……とか、ニュースサイトの見出しが笑えるのでツイートしたい……といったとき、そのサイトのURLをコピペして送信していませんか？　もちろんそれも悪くはありませんが、受け取った側がわざわざリンクをタップしてサイトを開き、該当の写真や文章を見つけるは面倒です。面倒なので反応がなくても文句を言えません。そこで、情報がひと目でわかるよう、そのサイトのスクリーンショットを送るよう心がけてみましょう。受け取った側はメッセージやLINEを開いたらすぐに画像が目に入り、タップする必要すらないので圧倒的に話が早いのです。iPadでスクリーンショットを保存する方法は、電源ボタンと音量の上ボタンを同時に押すだけです。ホームボタン搭載のiPadの場合は、電源ボタンとホームボタンを同時に押すだけです。その他、ネット上の文章や乗り換え案内の検索結果、地図、添削した書類なども、URLやファイルそのものを送るよりもスクリーンショット画像の方が適しているケースがあります。

スクリーンショットの方が分かりやすい

WebページのURLを送るよりも、スクリーンショットで画面を送ったほうが、見せたい箇所だけを手っ取り早く伝えられる。

こんなときはスクリーンショットを送ろう

1 ニュースなどの文字情報も スクショで十分

ニュースやブログなどの文字情報もスクリーンショットが手っ取り早い。よほどの長文でない限り画像で十分読める上、見出しなどの雰囲気も伝わりやすい。記事に写真があればなおさらだ。

2 書類への指示も スクショがわかりやすい

PDFにちょっとした指示を書き加えて返送する際などもスクリーンショットがおすすめ。ファイルを開く手間も省けるし、該当箇所を拡大してスクリーンショットを保存すれば、一目瞭然でわかりやすい。

3 電車の乗り換え経路を 相手に伝える

旅行の同行者に乗り換え情報を伝える際もスクリーンショットが最適。乗り換えアプリの共有機能でテキスト情報を送信するよりも、スクリーンショットの方が視覚的にわかりやすい。

4 広告だらけのサイトは 見せたい部分だけ送る

画像や広告が多いWebページは、URLを送られても迷惑なだけ。スクリーンショットで見せたい部分だけを示したほうが親切だ。

メッセージの絵文字は「まとめて変換」がおすすめ

絵文字キーボードには最後に切り替える

　iPadで絵文字を使いたい時、通常は絵文字キーボードに切り替えて好きな絵文字を選択するか、または変換候補から絵文字を選択しているはずです。ただメッセージアプリを使う場合は、もっとスマートな入力方法があります。いったん文章を最後まで入力した後で、絵文字キーボードに切り替えると、絵文字に変換可能な語句がオレンジ色でハイライト表示されます。このオレンジの語句をタップすることで、絵文字に変換できるのです。最後まで文章を入力してから絵文字に変換する箇所を選べるので、全体のバランスを見ながら絵文字の量を調整できますし、変換した絵文字が気に入らなければ、再度タップしてすぐに元のテキストに戻せます。

1 | 絵文字キーボードに切り替える

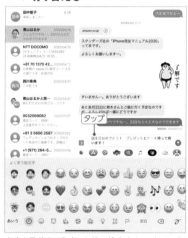

文章を最後まで入力した後で絵文字キーボードに切り替えると、絵文字に変換可能な語句がオレンジで表示されるので、これをタップ。

2 | あとから絵文字に変換できる

絵文字の候補が表示されるので、タップして変換しよう。変換した絵文字をタップして、元の語句に戻すこともできる。

SECTION
02

047

特定の相手からのメッセージ だけ通知を無効にする

頻繁にメッセージを送ってくる人への対処法

　着信拒否にするような相手ではないけど、頻繁にメッセージが送られてきて通知音やバナー表示がうるさい……という時は、その人からの通知だけ狙い打ちでオフにしておきましょう。メッセージ一覧画面で、スレッドを左にスワイプしてベルボタンをタップすれば、この相手からの新着メッセージは通知されなくなります。メッセージ画面を開いて、上部のユーザーアイコンをタップし、「i」ボタンをタップ、詳細画面で「通知を非表示」のスイッチをオンにしてもいいです。これで通知音は鳴らないし、バナーなどの表示もされなくなりますが、メッセージアプリのアイコンへのバッジ表示は有効なままなので、新着メッセージが届いたことは確認できます。

特定の相手の 通知をオフにする

スレッドを左にスワイプしてベルボタンをタップすれば、この相手からの通知は表示されなくなり、通知音も鳴らない。

メッセージやメール、LINEの通知で内容が表示されないようにする

盗み見される危険を防ごう

メッセージやメール、LINEの通知が届いた時に、その内容の一部が画面に表示される事があります。この内容の一部が表示される機能を、「プレビュー」と言います。新着メッセージが届いたという通知とともに、その要件もある程度把握できて便利な機能ですが、置きっ放しのiPadにプレビューが表示されると、盗み見される可能性も気になってしまいます。プライバシーの保護を重視するなら、プレビュー機能はオフにしておいた方がいいでしょう。「設定」→「通知」→「プレビューを表示」で、全体の共通設定として一括変更できるほか、アプリ単位で変更することもできます。「常に」はプレビューを常に表示する設定、「ロックされていないときのみ」は画面ロック中はプレビューを表示しないがロックが解除された状態なら表示する設定、「しない」はプレビューを常に表示しない設定です。

1 | 全体のプレビューを設定する

「設定」→「通知」の一番上の「プレビューを表示」をタップ、「しない」か「ロックされていないときのみ」にしておこう。

2 | プレビューをアプリごとに設定する

「設定」→「通知」画面でアプリを選択し、「プレビューを表示」をタップすると、アプリごとにプレビュー表示を設定できる。

プレビュー表示／非表示の通知画面の違い

プレビューを表示する設定の通知

メッセージや
メールの中身
が丸見え！

プレビューの表示がオン
だと、メッセージやメール
の通知と共に、その内容
の一部が画面に表示さ
れる。アプリを起動しなく
ても要件が分かって便利
だが、周りに覗き見される
危険も。

プレビューを表示しない設定の通知

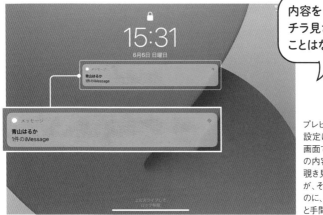

内容を
チラ見される
ことはない

プレビューを表示しない
設定にしておけば、通知
画面でメッセージやメール
の内容が表示されない。
覗き見される危険はない
が、その内容を確認する
のに、アプリを起動するひ
と手間が必要だ。

使いこなし
ヒント

プレビューが非表示でも差出人名は表示される

プレビューを非表示に設定していても、メッセージやメールアプリの場合は、差出人名
が表示されてしまう点に注意しよう。LINEなどアプリによっては、プレビューを非表示
にすることで、送信者名も非表示にできる。

iMessageの既読通知が
ストレスに感じるなら

LINEと異なり既読通知機能はオフにできる

　LINEの既読表示が何かと取り沙汰されますが、実はiPadのiMessageにも、既読表示機能が付いています。iMessageを送信すると、メッセージの下に「配信済み」と表示されますが、相手がメッセージを読んだ時点で、これが「開封済み」という表示に変わるのです。ただしLINEと違って、iMessageの既読表示はオフにできるので、「開封済み」と表示されない場合は、相手がこの機能をオフにしています。自分も相手に開封済みの通知を知らせたくないなら、設定を変更しておきましょう。画面上部のユーザーアイコンをタップして「i」をタップ、詳細画面を開いて「開封証明を送信」のスイッチをオフにすれば、自分がメッセージを読んでも、相手に開封証明が届かなくなります。なお、開封証明はiMessageだけの機能なので、SMSやMMSのやり取りでは表示されません。

メッセージを読まれたことが分かる！

開封済み: 12:18

「開封証明を送信」
をオフにしよう

オフにする

メッセージ画面上部のユーザー名をタップして「i」をタップし、「開封証明を送信」のスイッチをオフにすると、相手の画面には「開封済み」が表示されなくなる。

050

重複した連絡先は
ひとつにまとめよう

「連絡先をリンク」でひとまとめに

　連絡先に同じ名前が2つあって気になるなら、それぞれの内容を開いて確認してみましょう。それぞれ電話番号のみや、メールアドレスのみを登録していて、連絡先が2つに分かれてしまっている事が多いはずです。そんな時は、連絡先アプリの「リンク」機能で結合しておけば、重複した連絡先をひとつにまとめてスッキリと整理できます。まず、重複している連絡先のひとつを選んで、「編集」をタップし、下の方にある「連絡先をリンク」をタップしましょう。続けて重複しているもう一方の連絡先を選択して、上部の「リンク」をタップすれば、この2つの連絡先データがひとつの連絡先としてまとめて表示されるようになります。なお、連絡先のリンクを解除したい場合は、リンクした連絡先の「編集」をタップして、「リンク済み連絡先」の一方の「－」をタップしましょう。リンクが解除されて、元の2つの連絡先に戻ります。

1 「連絡先をリンク」
をタップする

連絡先アプリで重複している連絡先の一方を表示し、「編集」→「連絡先をリンク」をタップ。重複しているもう一方の連絡先を探してタップしよう。

2 「リンク」をタップ
して連絡先を結合

右上の「リンク」をタップすれば、2つの連絡先データがひとつの連絡先にまとめて表示される。

連絡先はパソコンで効率的に入力・整理する

連絡先をまとめて削除したい時も簡単

　取引先が増えたりサークルに参加したりして、大量の連絡先の新規登録に迫られた時に、iPadでひとつひとつ入力していくのは大変ですよね。iPadで作成した連絡先は、「iCloud」というインターネット上の保管スペースに保存されます。このiCloudの連絡先には、パソコンWebのブラウザからもアクセスできるので、もしパソコンを持っているなら、新しい電話番号やメールアドレス、住所の登録はパソコンで行った方が断然早いし楽です。パソコンのWebブラウザでiCloud.com（https://www.icloud.com/）にアクセスし、iPadと同じApple IDでサインイン。「連絡先」をクリックすれば、iPadに登録済みの連絡先が一覧表示され、新規連絡先も作成できます。作成した連絡先は、すぐにiPadの連絡先アプリにも反映されます。さらにパソコンのWebブラウザだと、iPadの連絡先アプリではできない、新規グループの作成やグループ分けも行えます。また連絡先を削除したい時も、iPadの連絡先アプリだとひとつずつ削除する必要がありますが、パソコンだと複数の連絡先をまとめて削除できて効率的です。

パソコンのWebブラウザで iCloud.comにアクセス

パソコンのWebブラウザでiCloud.com（https://www.icloud.com/）にアクセスし、iPadと同じApple IDでサインイン。続けて「連絡先」をクリックしよう。

使いこなし
ヒント

SafariでもiCloud.comで 連絡先を編集できる

iPadのSafariでも、iCloud.comにアクセスすれば、パソコンのWebブラウザと同様の画面で連絡先を表示できる。縦画面ではグループが表示されないので、横画面にしよう。ただiPad単体だと、連絡先の複数選択やドラッグ&ドロップ操作が効かないので、連絡先の編集以外にグループの新規作成くらいしかできない。iPadに外部キーボードとマウスを接続すれば、ShiftやCommandキーで複数の連絡先を選択して、まとめて削除したりグループに振り分けできる。

iCloud.comで連絡先を作成、編集、削除する

1 | 新規連絡先や グループを作成する

iCloud.comで連絡先画面を開いたら、左下の「+」ボタンをクリック。「新規連絡先」で新しい連絡先の作成画面が開くので、名前や住所を入力していこう。また「新規グループ」でグループも作成できる。

2 | 既存の連絡先を 編集する

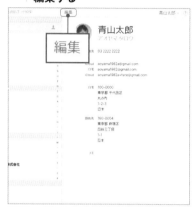

連絡先一覧の名前をクリックすると、右欄に内容が表示される。上部の「編集」ボタンをクリックすれば、この連絡先の編集が可能だ。相手の住所や電話番号が変わったら、変更を加えておこう。

3 | 複数の連絡先を まとめて削除する

ShiftやCtrl(Macではcommand)キーを使って連絡先を複数選択し、左下の歯車ボタンから「削除」をクリックすれば、選択した連絡先をまとめて削除することができる。

4 | 複数の連絡先を グループに振り分ける

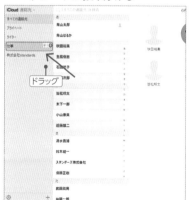

ShiftやCtrl(Macではcommand)キーを使って連絡先を複数選択し、そのまま左のグループ欄にドラッグすれば、選択した連絡先をまとめてグループに振り分けることができる。

メールはシンプルに
新着順に一覧表示したい

スレッド表示が苦手な場合は

　iPadのメールアプリを使っていると、同じ件名で返信されたメールが、ひとまとめに表示される事に気付くでしょう。これは「スレッド」機能によるもので、タップすると、返信メールのやり取りをまとめて読むことができます。ただスレッドでまとめられてしまうと、複数回やり取りしたはずのメールがひとつの件名でしか表示されないので、他のメールに埋もれてしまいがちです。スレッドだとメールを見つけにくかったり使いづらいと感じるなら、シンプルに新着順でメールが一覧表示されるように変更しておくのがおすすめです。「設定」→「メール」で「スレッドにまとめる」のスイッチをオフにしておきましょう。

1 スレッドにまとめる がオンの時

同じ件名の返信メールはスレッドにまとめられ、「>」マークが付く。一連のやり取りをまとめて表示できるが、複数のメールがひとつの件名でしか表示されないので、他のメールに埋もれて見つけづらい。

2 スレッドにまとめる 設定をオフにする

「設定」→「メール」で「スレッドにまとめる」のスイッチをオフにすれば、受信メールが新着順に一通ずつ表示されるようになる。この方がシンプルで把握しやすい人も多いだろう。

SECTION 02

053

メールボックスに「すべての送信済み」を表示しておこう

複数アカウントの送信済みをまとめて確認

　メールアプリで複数のアカウントを追加して使っている人は、「全受信」メールボックスで、すべてのアカウントの受信メールをまとめてチェックしていると思います。いちいち各アカウントの受信トレイを開かずに済んで便利ですが、では自分の送信済みメールを確認しようとしたら、それぞれのアカウントの「送信済み」を開く必要があることに気付くでしょう。これを「全受信」のように、すべてのアカウントの送信済みメールもまとめて確認したいなら、「すべての送信済み」メールボックスを追加表示しておけばいいのです。メールボックス一覧の「編集」ボタンから追加することができます。

「すべての送信済み」
を追加表示する

メールボックス画面で右上の「編集」をタップし、「すべての送信済み」にチェックすれば、メールボックス一覧に表示されるようになる。

送信したメールをまとめてチェック

たまりにたまった未開封
メールを一気に開封する

気になる未読バッジ件数もすっきり解消

054

メールマガジンなどに登録して毎日大量のメールが届いていると、興味のない件名のメールは、つい未読のまま放置しがちです。気付いたら、未読件数のバッジが凄い数字になっていた、という経験もあるのではないでしょうか。そんな大量の未読メールは、一通一通個別に開いて開封しなくても、もっと手軽にまとめて開封できます。メールアプリで受信トレイを開いたら、右上の「編集」ボタンをタップ。続けて左上の「すべてを選択」をタップし、下部の「マーク」→「開封済みにする」をタップしましょう。これで、未読メールがすべて開封済みに変わります。この時、間違えて「フラグ」をタップしないように注意が必要です。間違えてフラグを付けてしまったら、「マーク」→「フラグを外す」でまとめて外せますが、元からフラグを付けていたメールからも外れてしまい、重要なメールが分からなくなります。この操作は間違えやすいので、重要なメールはフラグで管理するより、メールボックス一覧画面の「編集」→「新規メールボックス」で「重要」メールボックスなどを作成して、自分で振り分けておいた方がいいでしょう。

「開封済みにする」をタップ

受信トレイで右上の「編集」をタップし、続けて左上の「すべてを選択」をタップ。さらに左下の「マーク」→「開封済みにする」で、このトレイのメールをすべて開封済みにできる。

SECTION 02

055

複数のメールを2本指で素早く選択する

2本指でスワイプするだけ

　メールアプリでは、受信トレイの「編集」→「すべてを選択」ですべてのメールをまとめて操作できますが、いくつかのメールだけ選んで操作したい場合は、メールを個別タップしていく必要があります。例えば頻繁に届くメールマガジンから、気になる件名だけを残してあとは削除するといった使い方をしていると、削除したいメールを個別に選択していく方法は大変面倒です。もっと素早く複数メールを選択する方法があるので、覚えておきましょう。やり方は簡単。受信トレイのメール一覧を、2本指で上下にスワイプするだけです。残したいメールがあれば一度指を離し、ひとつ飛ばして次のメールから2本指で下にスワイプしていけば、不要なメールだけがまとめて選択状態になり、下部の「ゴミ箱」をタップして削除できます。

2本指でスワイプした
メールが選択される

メールアプリの受信トレイを開き、2本指でスワイプしてみよう。2本指でスワイプしたメールだけが選択状態になり、下部のメニューでまとめて移動や削除などの操作を行える。

不要なメールだけ選んでまとめて操作できる

100MB超えのファイルも メールアプリで送信可能

Mail Dropでリンクを送ればOK

数百MBのファイルをiPadからメールで送信……というシチュエーションはあまりないと思いますが、メールアプリを使えば、相手の環境を選ばずに大容量ファイルを送信できることを覚えておくといざというとき助かります。使い方は非常に簡単。メールに100MBを超える大容量ファイルを添付して送信ボタンをタップすると、「Mail Dropを使用」というメニューが表示されるので、これをタップします。すると、ファイルがiCloudに一時的にアップロードされ、相手にはこのアップロードされたファイルのダウンロードリンクが送信されます。アップロードされたファイルは最大30日間保存されているので、相手は30日以内ならいつでもリンクをクリックして、ファイルをダウンロードすることができるのです。Mail Dropで送信できるファイルは、最大5GBまでです。

1 | メールに大容量 ファイルを添付

メールの本文内をロングタップし、「写真またはビデオを挿入」や「書類を追加」で、大容量ファイルを添付する。

2 | Mail Dropで ファイルを送信する

送信ボタンをタップ。添付ファイルが100MBを超えているとメニューが表示されるので、「Mail Dropを使用」で送信しよう。

057

Gmailをメールの自動バック アップツールとして使う

Gmailアドレスは不要でも使う価値あり

　Googleの無料メールサービス「Gmail」がおすすめです……と言うと、メールの乗り換えを促しているようですが、決してそうではありません。Gmailの「○○@gmail.com」というアドレスでメールをやり取りしなくても、別の便利な使い途があるのです。それは、Gmailを普段使っている会社のメールやプロバイダのメールのバックアップツールとする利用法です。Gmailには、「○○@gmail.com」を使えるメールサービスであると同時に、他のメールアドレスを設定して送受信できるメールクライアント（メールソフト）としての性質もあります。会社やプロバイダのメールアドレスをGmailに設定しておけば、Gmail上にもメールが受信されていきます。放っておけば受信メールがどんどんGmailにたまっていくので、自動バックアップツールとしてとても有用です。何らかのトラブルで受信メールがすべて消えてしまったときも、Gmailを開けば過去の全ての受信メールを確認できますし、iPadやiPhoneを紛失した際も、Gmailにさえアクセスできれば会社のメールを送受信できるので、仕事の連絡が途絶えることもありません。ぜひ導入をおすすめします。

設定にはWeb版Gmail の操作が必要

SafariでGmailにアクセスし、歯車ボタンをタップして「すべての設定を表示」→「アカウントとインポート」→「メールアカウントを追加する」から自宅や会社のメールアカウントを追加する。

自宅や会社のメールが Gmailに自動で溜まっていく

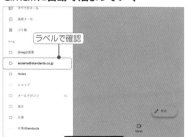

自宅や会社の受信メールが、すべてGmailに保存されるようになる。自宅や会社のメールアカウントごとにラベルを付けておけば、すぐに自宅や会社のメールだけ一覧表示できて便利だ。

ボタンのロングタップで
下書きメールを素早く呼び出す

保存したまま忘れた下書きの確認にも

作成途中のメールを一旦置いておいて、あとで送りたい時は、メール作成画面の左上にある「キャンセル」ボタンをタップすれば下書きとして保存できます。この下書きからメール作成を再開しようとした時、肝心の下書きメールがどこに保存されているのか戸惑う人もいるかもしれません。具体的には、メールボックス一覧画面から、各アカウントの「下書き」トレイを開くと保存されているのですが、この画面からいちいち呼び出すのは面倒です。そこで、メールの新規作成ボタンをロングタップしてみましょう。下書き保存したメールが一覧表示されるので、タップして素早く呼び出し、作業を再開できるはずです。下書き保存したまま忘れているメールの確認にも便利なので、覚えておきましょう。

1 新規作成ボタンを
ロングタップする

下書き保存したメールを素早く開くには、まずメールの新規作成ボタンをロングタップする。

2 下書き保存した
メールを開く

下書き保存されたメールが一覧表示される。タップして開けば、すぐにメール作成を再開できる。

059 目当てのメールを ズバリ探し出す検索方法

便利な検索候補を活用しよう

　過去のメールを確認したい時、いちいち画面をスクロールして探していませんか？　最初は隠れているので気付きづらいですが、実はメール一覧を下にスワイプすると、上部に検索欄が表示されます。ここでキーワードを入力すると、キーワードを含むメールの候補が一覧表示されます。複数アカウントを追加している時は、「すべてのメールボックス」タブでまとめて横断検索が可能です。また、「4月」と入力して「日付」カテゴリをタップすると、4月のメールだけを検索できるといった機能も備えています。候補に表示されなかったり、本文内を検索したい時は、キーワードを入力後にキーボードの「検索」ボタンを押すか、または一番上の「"○○"を検索」をタップして全文検索しましょう。

1 メール一覧画面で 検索欄を表示する

メール一覧画面で下にスワイプすると、上部に検索欄が表示されるので、ここにキーワードを入力しよう。

2 キーワードを含む 候補から探し出す

キーワードを入力すると、その文字を含む人名や件名のメールがすぐにリストアップされ、素早く目的のメールを探し出せる。

メールの通知を重要度に
よって柔軟に設定する

メールの受信アドレスごとに通知方法を変更できる

メールアプリに複数のアカウントを追加して使っていると、すべての受信メールで同じように通知が届いて、邪魔になることがありますよね。そんな時は、メールアカウントの重要度に応じて通知方法を変更しておきましょう。例えば、絶対に見逃せない仕事メールの通知はバナーやサウンド、バッジをすべてオンにしておき、プライベートメールはバッジのみをオンに。特に重要じゃないメルマガ用アドレスは通知をオフにしておくなど、アカウントごとに通知を個別設定することが可能です。なお、この方法はメールが届く受信アドレスごとに通知方法を変える設定です。メールの送り主ごとに通知方法を変更しておきたい場合は、VIPの通知設定を利用しましょう（No062で解説）。

メールアカウントごとの通知設定を開く

メールアプリに複数のメールアカウントを追加している時は、それぞれのアカウントで個別に通知設定を施せる。「設定」→「通知」→「メール」をタップすると、追加したメールアカウントが一覧表示されるはずだ。これをタップすると、それぞれのアカウントの通知設定画面が開く。

アカウントごとにメールの通知方法を変更しておこう

仕事用など重要なアカウントの通知設定

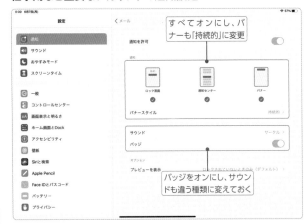

すべてオンにし、バナーも「持続的」に変更

バッジをオンにし、サウンドも違う種類に変えておく

重要なメールは、ロック画面、通知センター、バナーのすべてにチェックしておき、サウンドとバッジもオンにしておく。バナーはすぐに消えないように「持続的」に変更し、通知音やバイブレーションの種類も変えておくと、より目立って分かりやすい。

あまり重要でないアカウントの通知設定

バッジだけオンにしておく

プライベート用のメールアカウントは「バッジ」だけオンにしておくなど、通知方法をシンプルに。メルマガ用のアカウントなど、あまり確認する必要のないメールアカウントは、通知をオフにしておいた方が快適だ。

使いこなし
ヒント

アカウントよりもVIPの通知設定が優先される

メールの通知は、メールアカウントごとの設定よりも、VIPの通知設定が優先されるようになっている。このため、通知をオフにしたアカウント宛てでも、VIPに登録した相手からのメールであれば、VIPの通知設定に従ってバナーを表示させたりサウンドを鳴らすことができる

107

必要なメールだけを抽出する
フィルタボタンは意外と便利

フラグ付きやVIPメールも抽出できる

　メールアプリでサイドメニューのメール一覧を開くと、左下に三本線のボタンが表示されていますが、こちらは使ったことがあるでしょうか。実は、条件と一致したメールだけを簡単に抽出できる、意外と便利なボタンなのです。とりあえず一度タップしてオンにすれば、効果のほどは分かると思います。「適用中のフィルタ:未開封」と表示され、未読メールだけが抽出表示されるはずです。この機能、未読メールを抽出するだけのものではありません。この「適用中のフィルタ:未開封」部分をタップしてみましょう。設定が開いて、未開封の他にも、フラグ付き、宛先が自分のメール、Ccに自分が含まれるメール、添付ファイル付きのみ、VIPに追加した相手からのメールのみなどを、フィルタ条件として指定できるのです。複数のフィルタを組み合わせることもできますし、メールボックスごとに個別にフィルタを設定することもできます。

1 | フィルタボタンを
タップする

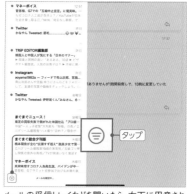

メールの受信トレイなどを開いたら、左下に用意されているフィルタボタンをタップしてオンにしてみよう。

2 | 未開封メールが
抽出表示される

標準では、未開封メールが抽出表示される。このフィルタ条件を変更するには、下部中央の「適用中のフィルタ」部分をタップ。

フィルタ機能を使いこなす設定例

1 フィルタの条件を変更してみる

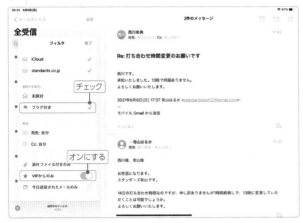

フィルタの設定画面では、さまざまなフィルタ条件を設定できる。例えば、フラグを付けていて、さらにVIPに登録した相手からのメールを抽出するように条件を変更してみよう。

2 設定した条件でメールが抽出される

「完了」をタップして画面を閉じれば、フラグ付きで、なおかつVIPからのメールだけが一覧表示される。もう一度フィルタボタンをタップすれば、すぐにフィルタは解除されてもとのメール一覧画面に戻る。

使いこなし
ヒント

フィルタオンを標準状態にしておく使い方も

フィルタ機能はメールボックスごとに個別に設定でき、一度オンにすれば次回そのメールボックスを開いた時もオンのままになっている。重要度の低いCCメールを大量に受け取っている場合は、「宛先:自分」のフィルタをオンにして、それを標準状態にしておくと表示がスッキリする。

「VIP」機能の便利で正しい使い方

重要な相手のメールを見逃さない

iPadのメールアプリには、「VIP」という機能があります。これは文字通り重要な相手からのメールを特別扱いする機能で、VIPに登録した連絡先からのメールは、自動的にメールボックスのVIPフォルダに振り分けられ、VIPだけの通知方法も設定しておけます。またこの機能は、特定の相手からのメールを振り分けるものなので、例えばプライベートと仕事の両方で付き合いがある人を登録しておけば、プライベートと仕事用、どちらのメールアドレス宛てに連絡が来ても、「VIP」フォルダで横断的に確認できるようになります。そのほか、同じプロジェクトに携わるメンバーを一時的にVIPに登録しておいて、VIPフォルダ内のメールでまとめて進捗を管理できるようにする、といった使い方も便利でしょう。このように工夫次第で、VIP機能を使って目的のメールだけを便利に振り分けできますので、ぜひ活用しましょう。

VIPに重要な相手を追加する

1 メールボックスの VIPをタップする

メールボックス一覧を開き、「VIP」(一人でもVIPを追加済みなら右端にある「i」ボタン)をタップする。

2 「VIPを追加」で 連絡先を追加する

「VIPを追加」で重要な連絡先を追加しておこう。この連絡先からのメールは、自動的にVIPメールボックスに振り分けられる。

VIPメールの通知を設定する

1 VIPの「i」ボタンを タップする

VIPメールの通知を変更するには、まずメールボックス一覧で、「VIP」の右端にある「i」ボタンをタップする。

2 「VIP通知」を タップする

VIPに追加した連絡先一覧が表示されるので、続けて「VIP通知」をタップしよう。なお「編集」をタップすれば、VIPに追加した連絡先を削除できる。

3 VIPメールの 通知を設定

VIPメールだけの通知を設定できる。サウンドを変更したり、バナースタイルを「持続的」にするなどして、VIPからの通知を目立たせよう。

使いこなしヒント

逆にVIPだけ通知させない使い方も

VIPメールだけの通知設定ができることを利用して、逆にVIPメールだけ通知させないという使い方も便利だ。毎朝の社内報や進捗状況の報告メールなど、確認は必要だが頻繁に届いたり定時連絡されるメールは、VIPに追加して通知をオフにしておこう。

日時を指定して
メールを送信する

Gmailアプリなら予約送信が可能

　期日が近づいたイベントのリマインドメールを送ったり、深夜に作成したメールを翌朝になってから送りたいといった時に便利なのが、メールの予約送信機能です。残念ながら標準のメールアプリでは予約送信ができないので、メールを予約送信したい時は「Gmail」アプリを使いましょう。Gmailアプリで新規メールを作成したら、送信ボタンの横にあるオプションボタン（3つのドット）をタップ。「送信日時を設定」をタップすると、「明日の朝」「明日の午後」「月曜日の朝」など送信日時の候補から選択できます。または、「日付と時間を選択」をタップすれば、自由に送信日時を指定できます。これで、あらかじめ下書きしておいたメールが、指定した日時に予約送信されます。

Gmailアプリで予約送信する

送信日時を設定

タップ

メールを予約
送信できる

Gmailアプリでメールを作成したら、右上の「…」ボタンをタップ。続けて「送信日時を設定」をタップし、メールを送信する日時を予約しよう。

Gmail
作者 Google LLC
価格 無料

SECTION 02

064

iPhoneと同じLINEアカウントをiPadでも利用する

非常時のバックアップとしても助かる

　LINEは基本的に、ひとつのアカウントにつきひとつの端末でしか使えないサービスです。TwitterやFacebookなら、複数のスマートフォンやタブレットにそれぞれアプリをインストールして、同じアカウントで同じ画面を見ることができますが、LINEはそれができません。ところが、iPhoneとiPadのLINEアプリは、少し関係が違います。iPadのLINEでは、iPhoneと違うアカウントを作成して別のLINEとして使ってもいいし、iPhoneと同じアカウントでログインして同時に利用することもできるのです。iPhoneとiPadで同じLINEを使えると、まず非常用のバックアップとして助かります。iPhoneが突然使えなくなっても、iPadのLINEで連絡を取ることができるようになります。また、iPhoneでゲームを遊びながら、iPadのLINEで友達と会話するといった使い方もできます。2台で同じLINEを使えるというのは何かと便利なので、iPadを持っているならぜひ活用しましょう。

1 スマホ版LINEで生体認証を許可

まずはiPhoneのLINEで、「ホーム」→「設定」→「アカウント」→「Face ID」（またはTouch ID）をタップして「許可する」をタップしよう。

2 iPad版LINEで電話番号を入力

iPad版LINEを起動したら、LINEアカウントに登録している電話番号を入力して「スマートフォンを使ってログイン」をタップ。iPhone側で認証を済ませると、iPad版のLINEでもiPhoneと同じLINEアカウントでログインできる。

LINEで既読を付けずに
こっそりメッセージを読む

あのおせっかい機能を回避しよう

　もはや日常生活に欠かせない、定番コミュニケーションツールとなった「LINE」。ただ、トークに付く既読表示が苦手で、あまりLINEを使いたくないという人も多いようです。この既読通知、相手が内容を読んでくれたことが確実に分かるので、送信側としては便利な機能です。反対に受信側としては、「読んだからにはすぐに返事をしなければ」というプレッシャーに襲われて、相手に気を使いがちな人ほどLINEでのやり取りを負担に感じてしまいます。そこで、既読を付けずにメッセージ内容を表示する方法をいくつか知っておきましょう。これでざっと内容を確認し、大した要件でなければ、「まだ読んでいない」と言い訳できる時間を作って返信を後回しにできます。ただし、通知をうっかりタップしてLINEを起動してしまうなど、操作ミスで既読表示になってしまう事もあります。一度既読が付いてしまうと未読には戻せないので、注意しましょう。

読まれてるのに返信が来ない……

LINEで届いたメッセージを読むと、相手の画面にはこのように「既読」が表示される。自分が読んだことはもう相手に伝わっているので、すぐに返信しないと、なんだか申し訳ない気分に。

iPad版LINEで既読を付けずに読む方法

1 LINEのプレビュー表示をオンにする

「設定」→「通知」→「LINE」で、「プレビューを表示」を「常に」か「ロックされていないときのみ」にしておく。

2 通知センターで内容を確認する

通知センターの表示である程度の内容を読めるようになる。さらに通知をロングタップすれば全文を表示できる。スタンプや写真も表示可能だ。

3 機内モードにしてトークを開く

機内モードでLINEを起動すれば既読にならない。LINEを完全終了させずに機内モードをオフにすると、すぐ既読が付くので注意しよう。

使いこなしヒント 送信を取り消したメッセージの通知表示

このように、LINEのトーク内容は通知センターなどで簡単に確認できるので、No066で解説している送信取り消し機能を使っても、誤送信したメッセージ内容を相手に読まれてしまう可能性がある。ただし、送信取り消し機能を実行すると、相手のロック画面や通知センターから、通知も即座に消える仕様になっている。このため、通知が表示された瞬間に読まれてさえいなければ、相手に内容を知られることはない。これは、相手の端末がiPhoneでもAndroidスマートフォンでも同じだ。相手に誤送信した内容を知られたくなければ、一刻も早く送信取り消しを実行しよう。

LINEで送ったメッセージは
24時間以内なら取り消せる

取り消したことはバレてしまうので注意しよう

　LINEを日常的に使っていると、一度や二度は、相手を間違えてメッセージを送信する、いわゆる「誤爆」の経験があると思います。友人への軽口を別の友人に送る程度なら笑い話で済みますが、相手が仕事先だったりすると、取り返しのつかないことにもなりかねません。メッセージに既読が付いてしまう前に、急いで送信の取り消し操作を行いましょう。送ったメッセージをなかった事にして、相手のトーク画面からも消すことができます。ただし、送信を取り消すと、相手の画面には「○○がメッセージの送信を取り消しました」という取り消し履歴が残ってしまいます。取り消したあとで、フォローのメッセージは送っておくべきでしょう。また相手の設定によっては、通知画面で誤爆メッセージの内容がバレてしまう可能性もあります。この場合は、諦めるしかありません。

1 トークの送信を取り消すには

取り消したいメッセージをロングタップし、表示されたメニューで「送信取消」をタップすると、このメッセージを取り消せる。

2 取り消しの履歴は残ってしまう

ただし送信取り消しを行うと、相手にも取り消しの履歴が表示される。一言お詫びのメッセージを送っておこう。

LINEでどのメッセージへの
返事かひと目でわかるようにする

大人数のグループトークで便利な機能

　大人数のLINEグループでみんなが好き勝手にトークしていると、自分宛てのメッセージが他のトークで流れてしまって、返信のタイミングを逃すことがありますよね。軽口やらスタンプやらの応酬で、話の流れが寸断されるのもありがちです。そんな時に便利なのが「リプライ」機能。メッセージをロングタップし、表示されたメニューで「リプライ」をタップすれば、そのメッセージを引用した形で返信できるのです。誰のどのメッセージに宛てた返信か、ひと目で分かって効果的です。

1 「リプライ」をタップする

流れてしまった過去のメッセージに対して返信したい場合は、そのメッセージをロングタップして、「リプライ」をタップ。

2 引用した状態で返信できる

このように、メッセージを引用した状態で、メッセージを送信できる。誰のどのメッセージに宛てた返信か分かりやすい。

「@」の入力で相手を指定した返信もできる

他にもLINEのグループトークでは、メッセージ入力欄に「@」を入力すれば、メンバー一覧から指名したい相手を選択して、特定の人に宛てたメッセージを送信できる。「リプライ」と違ってメッセージの引用はできないが、この方法でも、誰宛てのメッセージかがひと目で分かるようになる。

LINEでブロックされているか どうか判定する裏技

プレゼントを送ってハッキリさせよう

　LINEでメッセージを送ったのにちっとも既読が付かず、無料通話をかけても相手が出てくれない……。そんな状態が続くなら、相手にブロックされているのかも。ただLINEは、ブロックした事実が相手に伝わらない仕組みなので、本当にブロックされたのか単に連絡が付きにくいだけなのか、はっきりとは分かりません。そこで、LINEスタンプのプレゼントを使った、ブロック判定ワザを試してみましょう。相手が持っていなさそうなスタンプをプレゼントして、「すでにこのアイテムを持っているためプレゼントできません。」と表示されたら、ブロックされている可能性が高いです。ただしiPhoneと同じLINEアカウントのiPad版LINEではスタンプショップが表示されません。iPhone版のLINEでスタンプショップを開くか、SafariなどのブラウザでLINE STORE（https://store.line.me/）にログインすれば、有料スタンプのプレゼントを試すことができます。念の為、複数のスタンプで試せば、より確実に判断できるでしょう。まあ、ブロックされていることが判明したところで、受け入れるしかないのですが…。

1 スタンプを プレゼントする

SafariでLINE STOREにアクセスしてログイン。適当な有料スタンプを選んで「プレゼント」をタップしよう。

2 表示内容で ブロックを判断

「すでにこのアイテムを持っている〜」と表示されたら、ブロックされている可能性が高い

SECTION
02

069

Twitterで日本語の
ツイートだけを検索する

検索オプションを使いこなそう

　Twitterを英語のキーワードで検索したら、英語のツイートばかりがヒットして困ったことはないでしょうか。「話題」タブではある程度日本語ツイートが優先して表示されますが、「最新」タブで時系列表示にし、日本語ツイートだけを探したい時は大変不便です。そんな時に覚えておくと便利なのが、Twitterの検索オプション。キーワードの後にスペースを挿入し、続けて「lang:ja」を入力して検索すれば、日本語のツイートだけが表示されるのです。検索オプションは他にも色々あるので、うまく組み合わせて効率よくツイートを検索しましょう。

Q bbc lang:ja

文中に「bbc」および「BBC」を含む、日本語のツイートだけを表示

Twitterの便利な検索オプション

lang:ja
日本語ツイートのみ検索

lang:en
英語ツイートのみ検索

near:"東京 新宿区" within:15km
新宿から半径15km内で送信されたツイート

since:2016-01-01
2016年01月01日以降に送信されたツイート

until:2016-01-01
2016年01月01日以前に送信されたツイート

filter:links
リンクを含むツイート

filter:images
画像を含むツイート

min_retweets:100
リツイートが100以上のツイート

min_faves:100
お気に入りが100以上のツイート

119

Twitterで苦手な話題が
目に入らないようにする

見たくない内容は「ミュート」しよう

　Twitterを使っていると、拡散されたキャンペーンが延々とタイムラインに流れたり、知りたくなかったドラマのネタバレ実況が流れたりと、見たくもないツイートを見てしまうことがあります。そんな時に便利なのが「ミュート」機能。見たくない単語やフレーズを登録しておけば、自分のタイムラインに表示されなくなり、プッシュ通知なども届かなくなるのです。ミュートするキーワードには大文字小文字の区別がなく、例えば「CATS」を追加すれば「cats」もミュートされます。また、キーワードをミュートすると、そのキーワード自体とそのキーワードのハッシュタグの両方がミュートされます。例えば「拡散希望」を追加すれば、ハッシュタグ「#拡散希望」もミュートされます。

キーワードをミュートする

「設定とプライバシー」→「プライバシーとセキュリティ」→「ミュート中」→「ミュートするキーワード」をタップし、「追加する」でタイムラインに表示させたくないキーワードを追加しておこう。

目障りなキーワード
をシャットアウト!

071

Twitterで知り合いに発見されないようにする

アカウント名やツイート内容にも注意

Twitterは匿名だからこそ自由につぶやける気軽さがあります。特に不適切なことを書いていなくても、自分のツイートをリアルの友人知人に見られたくない人は多いでしょう。Twitterアカウントの身バレを防ぐためにもっとも重要なのは、Twitterにメールアドレスと電話番号の照合を許可しないことです。この設定がオンだと、友人知人に「おすすめユーザー」として紹介されてしまいます。また、他のSNSと共通のアカウント名を使うのも危険。そのアカウント名で検索すればTwitterアカウントも発見されてしまいます。あとは、身の回りの出来事や近所の情報をつぶやいて、身元を特定されるのもありがちなミスです。あまり気にしすぎるとTwitterを使わなければいいという話になってしまいますが、つぶやく内容には十分気をつけましょう。

1 メールや電話番号の照合をオフ

Twitterの「設定とプライバシー」→「プライバシーとセキュリティ」→「見つけやすさと連絡先」の項目をすべてオフにしておく。

2 アカウント名やツイートにも注意

他のSNSと共通のアカウント名は使わないこと。身バレにつながりそうな、個人的な出来事をつぶやく際も気をつけよう。

072

SNSでのアカウント名
使い回しは慎重に

危険なのはパスワードだけじゃない

　数百万、数千万件の個人情報流出事件が起きるたびに、パスワードを使い回すことがいかに危険か、ニュースなどで大々的に報じられます。こう何度も注意されると、流石にパスワード管理には気を付けている人は増えているはず。でも、しっかりパスワードは変えているから、IDはいつもの名前でいいや、なんて気軽に付けていませんか？　特徴的な名前で覚えやすい、なんて満足してませんか？　ハッキリ言って、それは大間違いです。実はIDを使いまわしている方が、はるかに危険なことなのです。サービスや企業から流出しない限り、自分のパスワードがネット上に公開されることはありません。これに対してIDの方は、さまざまな場所で公開されています。試しに、自分のメールアドレスやLINE IDで検索してみてください。自分のツイートがヒットしませんか？　Facebookのプロフィールが表示されませんか？　あるいは、オークションの落札結果や、掲示板の書き込み履歴が、検索結果に現れるかもしれません。このように、IDを使い回す行為は、複数のサービスの利用を容易に結びつけるのです。2つのサービスで同じようなIDが使われていて、どちらも同じ写真が投稿されている。同じ日に同じ場所に行ったと報告がある。このような状況証拠から、あるアカウントとあるアカウントが同一人物だと分かってしまったら、あとは芋づる式です。2つのサービスの情報を照らし合わせれば、個人情報を特定するヒントはいくらでも転がっています。何かの発言や行動で炎上した人が、あっという間に身元を特定されてしまうのも、IDの流用が原因である事が多いのです。あなたが職場には隠し通しているはずの趣味のアカウントだって、実は周りにあっさりバレているかもしれません。そんな危険を犯したくなければ、IDはしっかりと使い分けましょう。

毎日の仕事や
生活で役立つ
便利技

073 Apple Pencilで唯一無二の 手書き環境を手に入れよう

iPadは最強の手書きツールになる

iPadで手書きメモやイラストを描きたいという人は、Apple Pencilを導入してみましょう。他社製の安価なスタイラスペンとは異なり、ペン先の筆圧や傾きをしっかりと検知し、繊細なタッチの線画なども完璧にこなすことができます。特に2017年以降に発売されたiPad Proでは、画面のリフレッシュレートが最大120Hz(通常のiPadの2倍)と高速になっているので、Apple Pencilで画面をタッチしてから実際に線が描かれるまでのタイムラグをほとんど感じません。描画のレスポンスがとても良く、実際のペンで文字を書いているような感覚で扱うことができます。また、最新のApple Pencil(第2世代)では、iPadの側面に取り付けるだけでワイヤレス充電できるようになりました。さらに、ペンをダブルタップしてツールの切り替えが可能など、初代モデルよりも使い勝手が向上しています。iPadを手書きツールとして活用したいのであれば、ぜひ試してみましょう。なお、Apple Pencilは、世代によって使えるiPadの種類が限定されているので要注意です(右ページ下参照)。

iPadの側面にApple Pencilをくっつけて充電

ペアリングも
充電も簡単
にできる!

Apple Pencil
100%

最新のApple PencilとiPadであれば、本体側面にペンをくっつけるだけで、ペアリングとワイヤレス充電が即座に可能だ。

Apple Pencilでできること

筆圧や傾きに対応

Apple Pecilは、ペンで
タッチしてから描画され
るまでタイムラグが少な
く、実際のペンに近い書
き心地だ。筆圧によって
線の太さを変えたり、ペン
の傾きで濃淡を表現
することもできる。

ダブルタップでツール切り替え

第2世代のApple Pecil
であれば、タップ操作に
も対応。ペンを指でダブ
ルタップすると、ツール
の切り替えが可能だ。た
とえばメモアプリでは、
各描画ツールと消しゴ
ムツールの切り替えがで
きる。

使いこなし
ヒント

Apple Pencil第1世代と
第2世代の対応機種について

モデル	対応機種
Apple Pencil 第1世代	iPad(第6、7、8世代) iPad Air(第3世代) iPad mini(第5世代) iPad Pro 9.7、10.5、12.9(第1、2世代)
Apple Pencil 第2世代	iPad Air(第4世代) iPad Pro 11(第1、2、3世代) iPad Pro 12.9(第3、4、5世代)

Apple Pencilは、世代によって対応機種が異なる。第2世代は、2018年以降に発売さ
れたホームボタンのないiPad ProとiPad Air(第4世代)でしか使えない。

Apple Pencilと
相性抜群の手書きノート

手書きのメモやスケッチを一括管理できる

　「Apple PencilとiPadを組み合わせて、実際のノート替わりに使いたい」と考えている人も多いはずです。ここでは人気の手書きノートアプリ「GoodNotes 5」を紹介しておきましょう。本アプリを使えば、iPadを授業や講義のためのノートとして、またはアイディアをまとめるスケッチボードとして活用することができます。まずは表紙と用紙のデザインを選んでノートを作成しましょう。用紙のデザインは、方眼紙や五線譜など、いろいろな用途別に用意されています。あとは、各種ペンツールで文字や図などを書いていけばOKです。Apple Pencilに正式対応しており、ペンの反応もスムーズ。なお、手書き文字をキーワード検索することも可能なので、あとでメモを探し出したいときにも便利ですよ。

手書きメモやスケッチはこのアプリで完結できる!

書いた文字は全文検索できる

GoodNotes 5
作者 Time Base Technology Limited
価格 980円

実際のノート感覚で使える手書きメモアプリ。簡単なスケッチもこなせて、PDFやWord書類に注釈をつけることも可能だ。書いた文字がすべて検索できるのも特徴。

GoodNotes 5の基本的な機能

メモはノートごとに管理できる

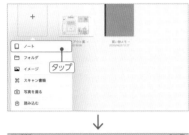

表紙や用紙のデザインを設定できる

アプリを起動したら、「書類」画面で「+」→「ノート」をタップ。表紙と用紙のデザインを決め、ノートの名前を設定しておこう。「作成」でノートが新規作成される。

ウインドウを拡大してメモを記入する

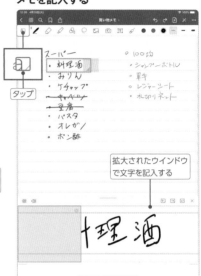

拡大されたウインドウで文字を記入する

「ウインドウを拡大」ボタンをタップすると、画面下に拡大ウインドウが表示される。これなら細かい文字もキレイに書き込めるのだ。

ペンの色や太さを変更する

ペンの色や太さ、タイプなどを変更したい場合は、画面上にある各ツールアイコンをタップすればいい。プリセットから選ぶこともできる。

手書きの文字をキーワード検索する

検索でヒットした文字はハイライト表示される

手書きメモをキーワード検索したい場合は、画面上部の虫眼鏡ボタンをタップ。検索言語を「日本語」に変更してキーワード検索しよう。

同期や共有を重視した ノートアプリを利用する

手書きノートを他のユーザーと共有できる

　iPadでノートを活用するにはNo074で紹介した「GoodNotes 5」もいいのですが、パソコンやiPhone、Androidなど複数デバイスで作業したり、他のユーザーと共有や共同編集を行いたいなら、クラウドで同期できるアプリがおすすめです。またせっかくiPadで使うのですから、手書きでサッとメモできると便利。これらの条件を備えたノートアプリが「OneNote」です。利用にはMicrosoftアカウントが必要なので、あらかじめ取得しておきましょう。作成したノートの保存先となるクラウドサービス「OneDrive」も、無料で5GBまで使えるようになります。なお、Microsoft WordやExcelアプリの場合、画面サイズが10.1インチ以上のiPadで書類を編集するにはOffice 365のサブスクリプション契約が必要ですが、OneNoteはiPadの画面サイズに関わらず無料で使えます。ただしOneDriveの保存容量が5GBを超えると、有料プランへの移行が必要です。

利用にはMicrosoftアカウントが必要

タップしてアカウントを作成

Microsoft OneNote
作者 Microsoft Corporation
価格 無料

OneNoteを使うにはMicrosoftアカウントが必要なので、持っていないなら「無料で新規登録」をタップして登録を済ませよう。すでに持っているなら、「サインイン」をタップしてサインインする。

OneNoteの画面と基本的な使い方

1 | 新しいノートや ページを作成する

タップして新規ページを作成

+ ページ

OneNoteは、「ノートブック」「セクション」「ページ」の3階層でノートを管理する。それぞれの一覧メニューの下部「+」ボタンで、新しいノートブックやセクション、ページを作成しよう。

2 | メモを手書きで 入力する

「描画」タブを開くと手書きモードになる。上部メニューの各種ペンをタップすると色や太さを変更できるほか、「+」ボタンで新しいペンや蛍光ペンも追加できる。

3 | ノートを他のユーザーと共同編集する

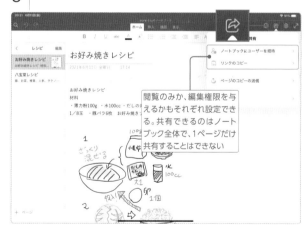

閲覧のみか、編集権限を与えるかもそれぞれ設定できる。共有できるのはノートブック全体で、1ページだけ共有することはできない

右上の共有ボタンから、「他のユーザーをノートブックに招待する」で共同編集したり閲覧を許可する相手を招待できる。また「リンクのコピー」をタップすれば、Microsoftアカウントがない相手でも共同編集や閲覧が可能になる共有リンクがコピーされる。「ページのコピーを送信」は、表示中のページをPDF化してメールで送信する。

使いこなしヒント

手書きメモしないならGoogleドキュメントがおすすめ

手書きメモの機能が必要なければ、同じくクラウド型のノートアプリで、使用するデバイスを選ばず他のユーザーと共同編集も行える「Googleドキュメント」がおすすめだ（No104で解説）。ページ単位で共有できるし、Googleアカウントは所持しているユーザーが多いので共有しやすい点も魅力。

ロック画面から最速で
メモを取り始める方法

Apple Pencilを画面に当てるだけ

076

Apple Pencilと対応するiPadさえあれば、「インスタントメモ」機能によって、瞬時にメモを取り始めることができます。何しろ必要な操作と言えば、Apple Pencilを画面に当てるだけ。ロック画面の解除すら必要なく、すぐにメモアプリが起動するのです。この「インスタントメモ」で起動するメモアプリの動作は、「設定」→「メモ」→「ロック画面からメモにアクセス」で変更可能です。「常に新規メモを作成」と「最後のメモを再開」→「ロック画面で作成」に設定した場合は、ロック解除不要でメモを作成できます。「最後のメモを再開」→「"メモ"Appで表示」の場合は、画面がロックされてから指定した時間を過ぎると、パスコード入力が必要になります（パスコード不要にすることもできます）。また「オフ」にしておくと、ロック画面からメモが起動しなくなります。

ロックを解除
せずにメモが
起動した！

077 喋った内容をそのまま メモに保存する

Siriに「○○とメモして」と頼もう

　ふと思い浮かんだアイデアや、ちょっとした備忘録などを今すぐメモしたい時に、iPadのロックを解除してからメモアプリを起動して、メモ画面を開いてからキーボードで入力して……という操作を行うのは少し面倒ですよね。その間にメモしたい内容を忘れてしまいそうです。そんな時は、No017で解説している音声アシスタント「Siri」に頼んでみましょう。「○○とメモして」と話しかけるだけで、素早くメモを取ることができて便利です。ただ、この方法だといちいち新規メモを作成してしまいます。メモは1行目がタイトルになるので、Siriに「メモ（タイトル）に追加」と頼み、続けてメモ内容を話すことで、指定したメモに追記できます。

Siriを起動し、「○○とメモして」の形で話しかけると、喋った内容がそのままメモとして作成される。また、「メモ（タイトル）に追加」と頼み、メモしたい内容を話せば、特定のタイトルのメモに追記していける。メモは1行目がタイトルになる。

Siriが
メモを作成
してくれる

078
PDFの書類に指示や注釈を書き加えるには

細かな指示を書き込めるPDF編集アプリを使おう

　iPadでは、PDF形式の書類をメールなどで受け取ると、別のアプリに受け渡す必要もなく開くことができますし、マークアップ機能を使って指示を書き加えることもできます。ただし、マークアップ機能は細かい書き込みにあまり適していません。PDFに詳細かつ自由度高く指示や注釈を書き加えたい場合は、専用のPDF編集アプリを使いましょう。おすすめは、「PDF Viewer Pro」と「PDF Expert」です。どちらも高度な注釈と編集機能を備えており、Apple Pencilとの相性も抜群で、校正作業などにはもってこいです。特にPDF Viewer Proは、無料版でもPDFに新しいページを追加したり、ページの順番を入れ替えできるので（No079で解説）、基本的なPDFの編集作業はこのアプリがあれば困ることはほとんどありません。ただ、PDF Expertの方が動作は安定していて、クラウドサービスとの同期フォルダを作成できたり、ダウンロードの進捗状況が分かったりと、細かな点で使い勝手がいいです。さらにPDF Expertは、Split ViewやSlide Overでひとつのファイルを2画面で操作できるのもポイントです（No011で解説）。なお、他のPDFファイルを結合したり、他のPDFファイルのページをコピーして貼り付けるといった編集を行うには、どちらもサブスクリプション契約が必要です。PDF Viewer Proは3か月800円または年間2,300円、PDF Expertは年間5,400円となっています。

iPadでPDFに注釈できるおすすめアプリ

PDF Viewer Pro by PSPDFKit
作者 PSPDFKit GmbH
価格 無料

PDFに注釈を書き込めるだけでなく、PDFのページ入れ替えも無料版で行えるアプリ。iPadでPDF書類を扱うことが多いなら、ひとまずこのアプリをインストールしておくと困らない。

PDF Expert
作者 Readdle Inc.
価格 無料

無料版だとPDFのページ入れ替えなどはできないが、他にさまざまな機能を備えており、インターフェイスも分かりやすい。PDFを本格的に編集したいなら、このアプリのサブスクリプションを契約するのがおすすめだ。

PDF Viewer ProでPDFに注釈を書き加える

1 クラウドサービスなど からPDFを開く

左上のボタンをタップするか、画面を左から右にスワイプすると、ファイルアプリと同じサイドメニューが表示される。「場所」欄に表示されたクラウドサービスやアプリから、PDFファイルを探して開こう。

2 ペンとマーカーで PDFに注釈を入れる

上部メニューの鉛筆ボタンをタップすると、左側に注釈ツールが表示される。ペンツールはペン1本とマーカー1本が用意されているので、タップしてPDF内に注釈を書き込もう。

3 ペンのカラーや 太さを変更する

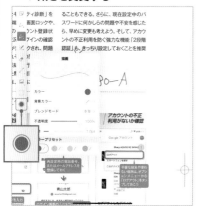

カラーボタンをタップすると、ペンのカラー、不透明度、太さなどを自由に変更できる。マーカーは不透明度を100%にして、ペンと太さを合わせ、色の違う2本目のペンとして使ったほうが便利。

4 書き込んだ注釈を 消しゴムで消す

消しゴムツールをタップすると、ペンで書き込んだ注釈をなぞって消せる。カラーボタンをタップすると消しゴムの太さを変更できるので、細かい書き込みを消す時はサイズを小さくしておこう。

PDF Viewer Proのその他の操作

1 | テキストを挿入する

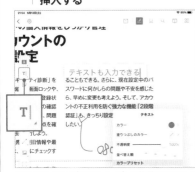

「T」ボタンをタップすると、タップした位置にテキストを挿入できる。フォントやフォントサイズ、カラーなども変更可能だ。

2 | メモを書いて添付する

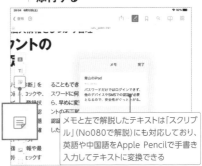

メモボタンをタップすると、タップした位置にメモを貼り付けできる。普段は小さな吹き出しボタンで表示されるので、指定箇所に長文で指示を加えたい時に便利。

3 | 範囲選択ツールを使いこなす

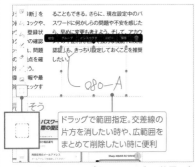

範囲選択ツールをタップすると、ドラッグした範囲の書き込みが選択状態になり、選択した部分を別の箇所に移動したり、コピーやペーストを行ったり、まとめて削除できる。

4 | 注釈を入れた箇所を素早く開く

上部メニューのブックマークボタンをタップすると、注釈を入れた箇所をリストアップできる。注釈をタップするとその箇所にすばやく移動することが可能だ。

使いこなしヒント

Apple Pencilだけで注釈できるようにする

Apple Pencilがあるなら、注釈ツールのやり直しボタンの上にある、Apple Pencilボタンをタップして、「注釈にApple Pencilのみを使用」をオンにしておこう。PDFへの書き込みは指だと反応せず、Apple Pencilでのみ反応するようになる。

PDF Expertの特徴と使い方

1 | クラウドサービスや サーバと連携できる

PDF ExpertはPDF Viewer Proと違って、アプリ内でさまざまなクラウドサービスと連携できる。PDF Viewer Proでは接続できない、FTPサーバなどにもアクセスすることが可能だ。

2 | 同期フォルダを 作成できる

タップして同期。同期フォルダ内のPDFファイルはオンライン中なら双方向で同期し、オフラインでもアクセスできる

クラウドサービスのフォルダを開き、上部の同期ボタンをタップして「このフォルダを同期」をタップしておくと、双方向で同期するフォルダをiPad内に作成できる。

3 | ペンとマーカーで 書き込める

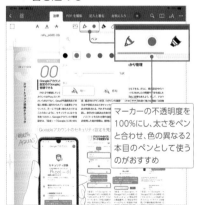

マーカーの不透明度を100%にし、太さをペンと合わせ、色の異なる2本目のペンとして使うのがおすすめ

PDF Expertのペンツールもペンとマーカーの2本だが、筆圧で太さが変わる感知モードで入力したり、ズーム機能で拡大しながら書き込める。またサブスクリプション契約するとペンの数を増やせる。

4 | PDFページの 編集画面

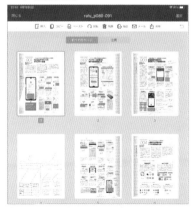

左上の4つの四角ボタンをタップすると、ページの一覧がサムネイル表示される。サブスクリプション契約すると、この画面でページの入れ替えや削除など、各種編集作業を行える。

PDFのページの順番を入れ替えたい

「PDF Viewer Pro by PSPDFKit」で編集できる

　自分で作成したPDFをiPadで開いたとき、ページの順番を入れ替えたいと思ったことはありませんか？　そんなときはNo078で紹介した「PDF Viewer Pro by PSPDFKit」を使ってみましょう。このアプリなら、無料版でもPDFページ編集機能を利用できます。まずは、ページを入れ替えたいPDFを開き、画面右上のページ一覧ボタン（四角が4つ集まったアイコン）をタップ。ページが一覧表示されるので、画面右上の編集ボタンをタップしたら、移動させたいページをロングタップしましょう。あとはドラッグ操作でページを入れ替えればOKです。編集が終わったら右上のチェックボタンをタップして、上書き保存したり別名で保存できます。他にも新しいページを追加したり、コピーや削除、回転、抽出といった編集を行えます。ただし、他のPDFファイルを結合したり、他のPDFファイルのページをコピーして貼り付けるといった作業を行うには、3か月800円または年間2,300円のPro機能を購入する必要があります。

> 他のPDFとの
> 結合やペーストは
> Pro版が必要

PDF Viewer Proを使えば、PDFページの並べ替えや新規ページの追加も可能だ。ただし、他のPDFとの結合や、他のPDFのページを貼り付けるといった操作には、Pro版が必要となる。サブスクリプション加入を前提とした場合は、PDF Expertの方が優秀な面も多いので、しっかり比較検討しよう。

PDF Viewer Proでページを入れ替える

1 | ページ一覧画面で 編集ボタンをタップ

PDFファイルを開いたら、画面右上の四角が4つ集まったボタンをタップ。ページ一覧画面が表示されるので、続けて隣の編集ボタンをタップしよう。

2 | ページの順番を 入れ替える

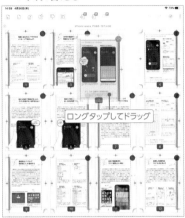

移動したいページをロングタップすると、ドラッグで動かせるようになる。好きな位置にドロップしてページ順を入れ替えよう。

3 | ページのコピーや 削除、抽出も行える

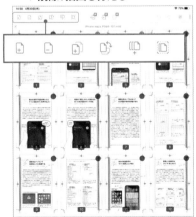

ページをタップしてチェックを入れると、上部メニューで新規ページの追加や削除、コピー、回転、抽出などを行える。「P」が付いたボタンはPro版の機能だ。

4 | 編集内容を 保存する

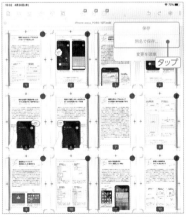

ページの編集を終えたら、右上のチェックボタンをタップしよう。「保存」または「別名で保存」をタップして、編集内容を保存できる。

手書き文字をテキスト変換できるiPadOSの注目機能

スクリブル機能で文字入力しよう

Apple Pencilを使うと、入力欄に手書きで入力した文字を自動的にテキストに変換してくれる、「スクリブル」という入力方法を利用できます。テキストをこすって削除したり、縦線を入れてスペースを挿入するといったことも可能。この機能は、iPadの検索画面や、Safari、メール、メモ、リマインダーなどの標準アプリで使えるほか、LINEなど一部の他社製アプリも対応しています。機能が使えない場合は、「設定」→「スクリブル」がオンになっているか確認しましょう。またその下の「スクリブルを試す」をタップすると、スクリブルの各種操作を練習できます。なお、原稿執筆時点ではスクリブルで入力できるのは英語と中国語（中国語の手書きキーボードを追加している場合）に限られますが、iPadOS 15からは日本語入力にも対応する予定です。

スクリブルで手書き入力を行う

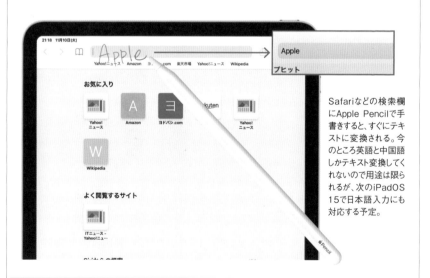

Safariなどの検索欄にApple Pencilで手書きすると、すぐにテキストに変換される。今のところ英語と中国語しかテキスト変換してくれないので用途は限られるが、次のiPadOS 15で日本語入力にも対応する予定。

スクリブルでのさまざまな操作

テキストを削除する

グシャグシャとこすった部分のテキストが削除される。

テキストを挿入する

ロングタップすると灰色の入力フィールドが表示され、手書きでテキストを挿入できる。

テキストを分離する

テキストに縦線を入れると、スペースが挿入され分離できる。

テキストを結合する

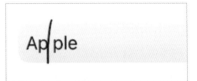

テキストのスペースで空いた部分に縦線を入れると、テキストが結合する。

メモアプリでスクリブル操作を行うには

Apple Pencilで書いた手書き文字がテキスト化される

「A」と表示されたペンがスクリブル用のツール

メモアプリでスクリブル操作を行う場合は、マークアップツールの「A」と表示されたペンで手書き文字を入力しよう。自動的にテキストに変換される。

PDFアプリに手書きノートが備わったFlexcil 2を使う

複数のPDFの内容を1冊のノートにまとめて整理

　PDFの内容をまとめて整理したい時に、とにかく便利なアプリが「Flexcil 2」です。PDFに注釈を書き込んだりページ順を変更できるPDF編集アプリとしても優秀ですが、さらに便利なのが、PDFを表示しながら手書きノートを作成できる点。PDFを読みながら同じ画面にノートを呼び出し、PDF内のテキストや画像をノート内にドラッグして貼り付け、そこに手書きでメモを加えることができます。参考書を読み比べながら1冊のノートにまとめるような勉強法を、ひとつのアプリ内で完結できるのです。同じようなことはPDFアプリとメモアプリをSplit Viewで開けばできそうですが、Flexcil 2のノートにまとめたPDFのテキストや画像にはリンクが設定されます。PDFのリンクをタップしてノートのまとめ箇所を開いたり、ノートのリンクをタップして参考元のPDFページを開くといったことができるのです。PDFのデータを別のPDFに貼り付けてリンクしたり、ノートの内容を別のノートにリンクすることもできます。PDFの資料や論文を読み込んでまとめることが多い人は、ぜひ使ってみてください。なお、PDFだけでなくWordやPowerPointの書類も読み込めます。

PDFの内容と
手書きノートの
メモがリンク

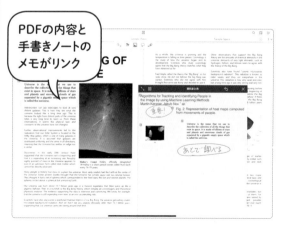

Flexcil 2
作者 Flexcil Inc.
価格 無料

PDFと同じ画面でノートを開き、PDF内のテキストや画像をノートのメモとリンクできる、学習やまとめ資料の作成にピッタリのアプリ。無料版だと本当に基本的な機能しか使えないので、気に入ったらスタンダード版を購入しよう。価格は1,100円の買い切りで、15日間は無料で試用できる。

PDFを見ながらメモをとってリンクする

1 | PDFに手書きで注釈を加える

PDFを開いたら、ページ内上部の注釈ツールで左端のペンをタップすると、ペンやカラーを選択してPDFに手書きで注釈を書き込める。また左上の4つの四角ボタンでPDFのページを編集できる。

2 | PDFを見ながらノートを呼び出す

左上のノートボタンをタップするか、3本指で上にスワイプするとノートが表示される。ノート左上の4つの四角ボタンをタップすると、別のノートやPDFの表示に切り替えできる。

3 | ドラッグ&ドロップでノートにメモ

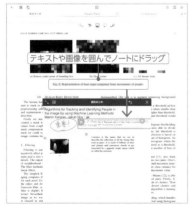

注釈ツールを選択していない状態で、Apple PencilでPDF内のテキストや画像を囲むと、ノート内にドラッグして貼り付けできる。貼り付けたテキストや画像にはリンクが設定される。

4 | リンクボタンでリンク先を参照する

PDFやノートのリンクボタンをタップすると、それぞれのリンク先が表示されるので、何についてまとめた内容かすぐに分かる。PDFとPDF、ノートとノートのリンクも可能だ。

録音とメモを紐付けできる
Notabilityで議事録を取る

会議やセミナーの音声を録音してあとで聞ける

　「Notability」は、録音機能が搭載されたメモアプリです。録音しながらテキストや手書きなどでメモを入力していくと、録音とメモが紐付けされ、音声再生時にはメモを書いている様子がアニメーションで再生されます。また、メモをタップすることで、そのメモを入力していたときの音声をすぐに再生できます。この機能を活用すれば、会議やセミナーで音声を録音しながら重要なポイントだけをメモしつつ、あとで音声を聞きながら詳細な議事録を作成する、といったこともできます。文書作成アプリとしても高性能で、テキストや画像、スタンプ、手書きメモなどを自由にレイアウトすることが可能。作成したメモはiCloud経由で他のiPhoneやiPadと同期できます。

会議の様子を録音しながらメモができる

Notability
作者 Ginger Labs
価格 1,100円

テキストや画像などを自由に配置できるメモアプリ。音声録音機能があり、メモを取りながら音声を録音することが可能だ。また、アプリ内の課金で手書き文字をテキストで検索する機能も追加できる。議事録をひとつのアプリで効率よく作成したい人におすすめ。

メモごとに複数の録音が可能

テキストや画像を自由にレイアウトできる

音声を録音しながらメモを作成してみよう

1 新規メモを作成する

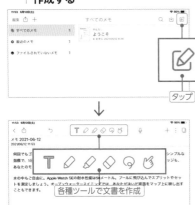

各種ツールで文書を作成

アプリを起動したら画面右上の新規作成ボタンをタップ。新規メモが作成されるので、上部の各種ツールを使って文書を作成していこう。

2 録音しながらメモを取る

タップして録音開始

音声を録音したいときは、メモ画面の上部にあるマイクボタンをタップ。あとは、録音しながらテキストや手書きなどでメモを取っていこう。録音を停止するには、画面上部の停止ボタンをタップ。

3 メモをタップしてその時の音声を聞き直す

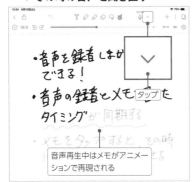

タップ

音声再生中はメモがアニメーションで再現される

音声を再生するには、マイクボタンの横にある「∨」をタップして再生ボタンを押す。音声再生時にはメモ全体が一旦薄い色になり、カラオケの字幕のように、メモを取ったタイミングで色が元に戻っていく。また、メモ自体をタップすると、音声の再生位置もそのタイミングにジャンプ可能だ。

4 メモスイッチャーで2つのメモを表示する

メモスイッチャーを表示

Notabilityには、アプリ内でメモを2つ同時に表示できる機能がある。画面左端から右にスワイプして、メモスイッチャーを表示したら、表示したいメモをドラッグ&ドロップしよう。これで録音時のメモを再生しながら、他のメモでテキスト入力して清書する、といったことも可能になる。

Apple Pencilがあれば
手書き文字入力も超スムーズ

手書きした文字を日本語に変換できる

Apple Pencilがあれば、実際のノートとペンに近い感覚で手書き文字を書けます。会議中のちょっとしたメモや、ふと思いついたアイディアを書き留めるときなどには、とても便利です。ただ、あとで残したメモをキーワード検索したいといった場合や、他人に読みやすい形で共有したい場合などは、手書き文字のままではなくテキストに清書しておく必要があります。そんなときは、「手書きキーボード」を使ってみましょう。このアプリを使えば、手書きで入力した文字をその場でテキストに変換することが可能です。文字の認識率はかなり高く、少し乱暴に書いた漢字でもしっかり認識してくれます。指先でも手書き文字を入力できますが、Apple Pecilがあれば段違いのスムーズさで手書き文字の入力が可能です。手書きでテキスト入力を行いたい人は、ぜひ一度試してみましょう。

手書きキーボードの初期設定を行う

1 新しいキーボード
として追加する

タップ

アプリをインストールしたら、「設定」→「一般」→「キーボード」→「キーボード」→「新しいキーボードを追加」→「手書き」をタップし、「日本語」のスイッチをオンにしておく。「日本語」だけで英語や数字も入力できるので、「英語」はオフのままでよい。

2 キーボードの地球儀キーで
切り替える

文字入力できる場所をタップしてキーボードを表示しよう。地球儀キーを数回タップ、またはロングタップして切り替えが可能だ。

手書きキーボード
作者 Catalystwo
Limited
価格 490円

手書きキーボードで手書き文字をテキストに変換する

Apple Pencilで手書き入力する

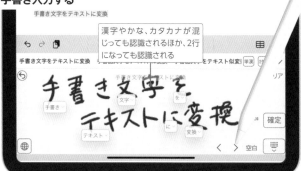

漢字やかな、カタカナが混じっても認識されるほか、2行になっても認識される

手書きでスラスラ変換できる!

地球儀キーで手書きキーボードに切り替えたら、Apple Pencilなどで手書き文字を入力してみよう。すぐにテキストに変換され、右下の「確定」ボタンをタップすれば入力が確定する。変換候補から選択しても良い。

入力した文字を消す

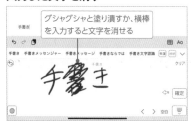

グシャグシャと塗り潰すか、横棒を入力すると文字を消せる

手書き入力した文字の一部をグシャグシャと塗り潰すと、その文字を消去できる。また文字列に横棒の取り消し線を入力するとまとめて消せる。

分かれた文字をまとめる

「1」を「日」にドラッグして合体させる

漢字の「旧」が「1」と「日」に分かれて認識されたら、手書き文字の下部にある「1」の文字を「日」にドラッグすれば「旧」として認識される。

英語や数字を入力する

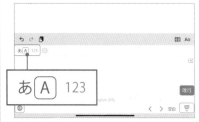

左上の入力モードを「A」に切り替えると英語の手書き入力モードになる。「123」をタップすると数字入力のキーパッドが表示される。

入力欄サイズなどを変える

左上の歯車ボタンをタップすると設定画面が開き、入力エリアのサイズを変更したり、2本指ジェスチャを割り当てることが可能だ。

手書きの文章を
リアルタイムに翻訳する

Google翻訳で手書き入力を使う

084

翻訳アプリとして定番の「Google翻訳」には、手書き文字を翻訳してくれる機能があります。アプリを起動したら、テキスト入力欄右上のペンボタンをタップしてみましょう。画面下に大きな入力欄が表示されるので、ここに翻訳したい文章を手書きで入力します。すると、自動的にテキスト変換されて翻訳文も表示されていきます。海外旅行時に現地の人とコミュニケーションを取りたい場合などに使うと便利そうですね。なお、初期状態だと、手書き文字の入力が途絶えたタイミングで、自動的に認識された文字がテキストとして挿入されていきます。ただ、入力途中で挿入されてしまうと困るときもあります。その場合は、「設定（画面左下の歯車マーク）」をタップし、「自動挿入」をオフにしておきましょう。これで自分で確定しない限り、テキストは挿入されません。

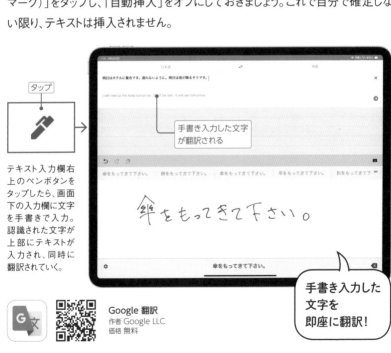

タップ

テキスト入力欄右上のペンボタンをタップしたら、画面下の入力欄に文字を手書きで入力。認識された文字が上部にテキストが入力され、同時に翻訳されていく。

手書き入力した文字が翻訳される

手書き入力した文字を即座に翻訳！

Google 翻訳
作者 Google LLC
価格 無料

146

085

直接手書きで描き込める
カレンダーアプリ

標準カレンダーと連携もできる

　スケジュールはデジタルで管理した方が便利なのは分かっているけれど、紙の手帳に直接書き込んだほうが覚えやすいし見やすい……とお悩みの人に、ピッタリのアプリが「Planner for iPad」です。カレンダー上に手書きで直接メモを書き込めるので、システム手帳と同じ感覚で使えます。また付箋やマスキングテープを貼り付けたり、写真やスタンプも追加でき、画面をにぎやかに彩ることができます。紙の手帳と違って、複数の手帳を作成して使い分けできますし、月／週／日の表示を切り替えたり、手書き文字の修正や移動も簡単。アナログとデジタルのいいとこ取りをした、画期的なカレンダーアプリなのです。歯車ボタンから「カレンダー設定」→「標準カレンダーと連携する」をオンにしておけば、標準カレンダーと連携させることもできます。

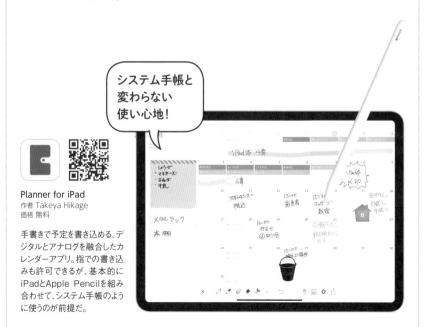

システム手帳と
変わらない
使い心地！

Planner for iPad
作者 Takeya Hikage
価格 無料

手書きで予定を書き込める、デジタルとアナログを融合したカレンダーアプリ。指での書き込みも許可できるが、基本的にiPadとApple Pencilを組み合わせて、システム手帳のように使うのが前提だ。

086 紙のような書き心地の
フィルムを使ってみよう

ペーパーライクフィルムで紙のような感触に

　Apple Pencilを使っているとき、ペンで画面に触れた際の硬い感触が馴染めないという人がいます。iPadの画面はガラスでできているため、ツルツルとしてペン先が滑りやすいからです。実際の紙とペンを使った場合に比べ、文字の止める部分が意図しない方向に流れてしまったり、イラスト作成でキレイな線が描きにくかったりといった症状が出やすく、悩んでいる人も多いかもしれません。そこでオススメなのが、エレコムが発売しているiPad用保護フィルム「ペーパーライクフィルム」です。マットな質感のフィルムをiPadの画面に貼ることで、Apple Pencilの書き心地が実際の紙の感触に近くなります。フィルムの表面がザラザラとしており、ペン先に程よい摩擦感を与え、コントロールしやすくなるのです。そのため、ペンでの手書き文字やイラスト作成がかなりやりやすくなります。Apple Pencilを毎日使うような人には、ぜひ試してほしい商品です。ただし、フィルムを貼ると画面の色が少し白っぽくなってしまうので、写真のレタッチなど色味が重要な作業が多い人には向いていません。また、摩擦感のある表面により、ペン先が削れやすくなり、指でのスワイプもスムーズさが失われる点にも注意です。

エレコム
iPad Pro 12.9 2021
保護フィルム ペーパーライク
反射防止 上質紙タイプ
TB-A21PLFLAPL
実勢価格／1,620円

本格イラスト用途に向いた上質紙タイプ。他に、ペン先の摩耗を抑えたケント紙タイプや、文字用タイプもある。自分の機種と用途にあったものを選ぼう。

S E C T I O N
03

087

iPadをマウスで操作しよう

Bluetoothや有線マウスも使える

iPadには、外付けのキーボードだけでなくマウスも接続できます。もっとも手軽なのはBluetoothマウスの利用でしょう。「設定」→「Bluetooth」をオンにし、Bluetoothマウスをペアリング待機状態にすると、マウス名がデバイス一覧に表示されるので、タップしてペアリングを完了すれば、画面上にポインタが表示されます。USB接続の有線マウスやUSBレシーバーを使うタイプの無線マウスは、USB変換アダプタなどを使ってiPadにケーブルやレシーバーを接続すれば、ポインタが表示されます。左クリックでタップ、右クリックでロングタップ相当のメニューが表示されるほか、画面下部からさらに下に動かすと、アプリ使用中はホーム画面に戻り、ホーム画面表示中はAppスイッチャーが表示されます。また、画面上部からポインタをさらに上に動かすと通知センターが表示され、右上のバッテリー表示部をクリックするとコントロールセンターが表示されます。その他、「設定」→「アクセシビリティ」→「タッチ」→「AssistiveTouch」をオンにし、「デバイス」でマウス名をタップすると、各ボタンに割り当てる機能を自由に変更できます。

Bluetoothマウスをペアリングする

> マウスポインタ
> で操作できる

ロジクール M337
実勢価格／1,900円

iPadでBluetoothマウスのペアリングを済ませると、画面上にポインタが表示される。左クリックや右クリック、ホイールで操作できるほか、AssistiveTouch機能でボタンの動作をカスタマイズすることもできる。

> ポインタは、パソコンの矢印とは異なり丸印が表示される

088 専用Keyboardを使えばストレスなく長文も入力できる

Appleの公式キーボードを使ってみよう

　iPadは画面が大きいため、スクリーンキーボードも比較的使いやすくなっています。iPhoneの小さなキーボードに比べれば、文字入力はかなり快適といえるでしょう。とはいえ、スクリーンキーボードはキーを打った実感がなく、キーの間隔も指先だけでは判断できないため、どうしてもミスタッチが発生しやすくなります。iPadで長文を頻繁に書く人だと、この点がストレスになることも。スムーズに文字入力を行いたいのであれば、外部キーボードを導入してみましょう。もっともオススメなのは、iPad用に設計されたApple純正の専用キーボードです。iPadのモデルによって対応する製品が異なりますが、「Magic Keyboard」と「Smart Keyboard Folio」、「Smart Keyboard」の3種類がラインナップされています。どれもペアリングや電源が不要で、コネクタを合わせて磁石で吸着するだけですぐに使える点が非常に便利。またFace ID対応のiPadであれば、カバーを開くか何かキーを押すだけでスリープから復帰して、Face IDでスムーズにロックを解除でき、さらに何かキーを押すだけでホーム画面が開きます。

Magic Keyboard

対応モデル
12.9インチiPad Pro（第3、第4、第5世代）、11インチiPad Pro（第1、第2、第3世代）、iPad Air（第4世代）
価格
41,580円、34,980円（税込）

最近のiPad ProやiPad Airに対応する専用キーボードで、iPadの前面と背面を守るカバーにもなる。トラックパッドを搭載しており、iPadの画面をタッチ操作したい時に、いちいちキーボードから手を離さずにトラックパッドで操作できる。

Smart Keyboard Folio

対応モデル
12.9インチiPad Pro(第3、第4、第5世代)、11インチiPad Pro(第1、第2、第3世代)、iPad Air(第4世代)
価格
24,800円、21,800円(税込)

最近のiPad ProやiPad Airに対応する専用キーボードで、iPadの前面と背面を守るカバーにもなる。トラックパッドが不要であれば、Magic Keyboardを購入するよりも安い。

Smart Keyboard

対応モデル
10.5インチiPad Pro、iPad Air(第3世代)、iPad(第7、第8世代)
価格
18,800円(税込)

比較的古いモデルのiPad Pro、iPad Air、iPadで使える専用キーボードで、iPadの前面を守るカバーにもなる。保護できるのは前面のみだが、その分軽量で持ち運びしやすい。

安価な他社製の外付けキーボードも使える

AppleのiPad専用キーボードは非常に洗練された製品だが、キーボードとしてはかなり高価な製品だ。また、古いモデルのiPadにはそもそも対応していない。サードパーティー製のiPad向けキーボードなら、iPadのモデルを選ばず利用できて、もっと手頃な価格で手に入る。

サンワダイレクト
タッチパッド付きBluetoothキーボード
400-SKB066
実勢価格／4,980円(税込)

お手頃価格でトラックパッドを利用したいなら、このBluetoothキーボードがおすすめ。Magic Keyboard非対応のiPadでも利用可能だ。

Anker
ウルトラスリム Bluetooth
ワイヤレスキーボード
実勢価格／2,000円(税込)

iPadOSやiOS、Android、Mac、Windowsとマルチデバイスに対応する、軽量コンパクトなキーボード。

089

絶対覚えておきたい外付け
キーボードのショートカット

キーボードショートカットで操作を効率化

外付けキーボードを利用している場合、アプリによっては各種キーボードショートカットを利用することができます。たとえば、「command＋H」を押せば、どんな状況でもホーム画面に戻ることが可能です。また、パソコンではおなじみのコピーやカット、ペーストのショートカットにも対応。主なキーボードショートカットは、右のページにまとめているので参考にしてください。これらを覚えておけば、外付けキーボードでさらに効率的な操作が可能になるはずです。なお、外付けキーボードの左下にある「command」キーを長押しすれば、現在開いているアプリのキーボードショートカットが画面表示されます。これを使えば、ショートカットの内容を忘れてしまっても安心です。初めて使うアプリのキーボードショートカットを調べたいときにも使えますね。

commandキー長押しでショートカットを表示

ショートカット
を忘れても
安心！

長押し

外付けキーボードのcommandキーを長押しすると、現時点で使えるショートカットが画面中央に表示される。

代表的なキーボードショートカットを覚えておこう

全画面で共通のショートカット

ショートカット	概要
command+H	ホーム画面に戻る
command+Tab	アプリの切り替え画面を表示
command+スペース	Spotlight検索

テキスト入力時などの共通ショート

ショートカット	概要
command+C	コピー
command+X	切り取り
command+V	貼り付け
command+Z	取り消し
command+A	全選択
command+Delete	行頭からカーソル位置まで削除
command+↑	カーソルを先頭に移動
command+↓	カーソルを末尾に移動
command+←	カーソルを左端に移動
command+→	カーソルを右端に移動

メモアプリでの主なショートカット

ショートカット	概要
command+B	ボールド
command+I	イタリック
command+U	アンダーライン
Shift+command+T	タイトル
Shift+command+H	見出し
Shift+command+B	本文
Shift+command+L	チェックリスト
command+N	新規メモ
command+F	メモで検索

Safariでの主なショートカット

ショートカット	概要
command+R	ページを再読み込み
command+F	ページを検索
command+G	次を検索
Shift+command+G	前を検索
command+T	新規タブ
control+TAB	次のタブを表示
Shift+control+TAB	前のタブを表示

メールでの主なショートカット

ショートカット	概要
command+N	新規メッセージ
command+R	返信
Shift+command+R	全員に返信
Shift+command+F	転送
Shift+command+J	迷惑メールにする
Shift+command+L	フラグ
control+command+A	メッセージをアーカイブ

カレンダーでの主なショートカット

ショートカット	概要
command+N	新規イベント
command+F	検索
command+T	今日を表示
command+R	カレンダーを更新
command+1	日表示に切り替え
command+2	週表示に切り替え
command+3	月表示に切り替え
command+4	年表示に切り替え

ワンタップで機能を実行できるボタンを常に表示

AssistiveTouchでショートカットも実行できる

「設定」→「アクセシビリティ」→「タッチ」→「AssistiveTouch」で、「AssistiveTouch」のスイッチをオンにすると、iPadの画面上に半透明のボタンが常に表示されるようになります。これをタップするとメニューが表示され、ホームボタンとして使ったり、スクリーンショットを撮影したり、複数の指を使うジェスチャを1本の指で操作するなど、さまざまな機能を利用できます。さらにこのメニューはカスタマイズが可能で、「ショートカット」アプリで登録したショートカット（No038で解説）も設定しておけます。例えば、コピーした複数のURLをまとめてSafariで開く「Safariで開く」ショートカットを、AssistiveTouchのメニューに追加しておけば、メールなどで届いたURLをまとめてコピーした際に、アプリを切り替えることなく画面上のボタンから「Safariで開く」を実行できます。また、AssistiveTouchで複数の機能が必要なければ、最上位メニューをひとつだけにしておくと、AssistiveTouchのメニューが開かず、ワンタップでその機能を素早く実行できて便利です。

AssistiveTouchを有効にする

「設定」→「アクセシビリティ」→「タッチ」→「AssistiveTouch」で、「AssistiveTouch」のスイッチをオンにしよう。画面上に半透明のAssistiveTouchボタンが常駐するようになる。

ワンタップでショートカットを実行する

1 | AssistiveTouchのメニュー

メニューから機能を
選択して操作できる

画面上に表示されたAssistiveTouchボタンをタップすると、メニューが表示されさまざまな機能を選択して実行できる。ホームボタンとして使ったり、音量を操作するなど、本体のボタン代わりにも使える。

2 | メニューに割り当てる機能を変更する

一覧からメニューに設定
したい機能を選択

「設定」→「アクセシビリティ」→「タッチ」→「AssistiveTouch」→「最上位メニューをカスタマイズ」でボタンをタップすると、他の機能に変更できる。下の方にスクロールすると、登録済みのショートカットからも選べる。

3 | 割り当てる機能をひとつだけにする

タップして機能をひとつだけにする

また「6個のアイコン」の「ー」ボタンをタップして数を減らし、機能をひとつだけにしておくと、AssistiveTouchのボタンをタップした際にメニューは表示されず、すぐに割り当てた機能が実行されるようになる。

4 | ワンタップでショートカットを実行できる

複数のURLが記載されたテキストをまとめて選択してコピーし、AssistiveTouchのボタンを押すと、Safariが起動して複数タブで各URLにアクセスする

たとえば「Safariで開く」ショートカットのみをAssistiveTouchのメニューに割り当てると、メールなどで届いたURLをまとめてコピーし、画面上のボタンをタップするだけで、即座にSafariが起動してコピーしたURLが開かれる。

SECTION 03

091 iPadをMacのサブディスプレイとして利用する

iPadでMacのデスクトップを拡張できる

「Sidecar」機能に対応するMacとiPadがあれば、iPadをMacのサブディスプレイとして使えます。iPadの画面を使ってMacの作業領域を広げることができるので、2つのウィンドウを同時に開いて作業したい時に最適です。例えば、iPad側でスプレッドシートの参考資料を表示して、Mac側で企画書の文章を入力するなど、さまざまな使い方が考えられます。またSidecarを利用中は、iPad側でタッチ操作ができませんが、Apple Pencilは使えます。このため、Mac側で開いたPDFを修正したい時に、iPad側の画面にドラッグしてApple Pencilで手書きの注釈を入れるといった使い方も可能です。なお、Sidecarを利用するには、macOS Catalina以降に対応したMacと、iPadOS 13以降およびApple Pencilに対応したiPadが必要です。また両方のデバイスで、2ファクタ認証を使った同じApple IDでサインインし、Bluetooth、Wi-Fi、Handoffをオンにし、10メートル以内に近づける必要もあります。ケーブルで有線接続することもできます。

Macの画面とiPadの画面はつながっている

Sidecarで接続する手順と設定

1 コントロールセンターの ディスプレイから接続

接続したいiPad名をクリック

「個別のディスプレイとして使用」にチェック

Macのメニューバーからコントロールセンターを開いて「ディスプレイ」をクリックし、「接続先:」欄のiPad名をクリック。続けて「個別のディスプレイとして使用」にチェックしよう。

2 ディスプレイの位置 関係を変更する

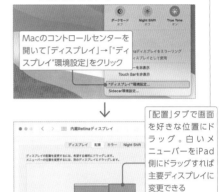

Macのコントロールセンターを開いて「ディスプレイ」→「"ディスプレイ"環境設定」をクリック

「配置」タブで画面を好きな位置にドラッグ。白いメニューバーをiPad側にドラッグすれば主要ディスプレイに変更できる

初期配置ではMacの画面の右端がiPadの画面の左端とつながるが、この位置関係は変更できる。主要ディスプレイをMacとiPadのどちらにするかも変更可能だ。

3 Sidecarの環境設定 を変更する

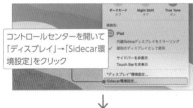

コントロールセンターを開いて「ディスプレイ」→「Sidecar環境設定」をクリック

MacでSidecarの環境設定を開くと、iPadの画面にサイドバーやTouch Barを表示させるか、Apple Pencilのダブルタップを有効にするかを設定できる。

4 Sidecar利用中に iPadのアプリを使う

タップするとSidecarの画面に戻る

Sidecarの利用中でも、ホーム画面に戻ればiPadのアプリを利用することが可能だ。Dockに表示されるSidecarのアイコンをタップすると、Sidecarの画面に戻る。

iPadをペンタブレット のように活用する

Macのお絵描きソフトをApple Pencilで描画

　No091では「Sidecar」機能でMacのディスプレイを拡張する使い方を解説しましたが、MacとiPadで同じ画面を表示する「ミラーリング」という使い方もできます。同じ画面を相手に見せられるのでプレゼンなどに役立つほか、iPad側ではApple Pencilを使ってMacの画面を操作できるのがポイント。Mac側で「Photoshop」や「CLIP STUDIO PAINT」といった定番のグラフィック／お絵描きアプリを起動すると、iPadをMac用のペンタブレットとして扱えるのです。メニューの選択やパラメータの数値入力といった操作はMac側で行い、細かなイラストの描画はApple Pencilが使えるiPad側で行うなど、MacとiPadで同じ画面を見ながら操作の使い分けが可能です。なお、No091で解説した「個別のディスプレイとして使用」に切り替えたほうが使いやすい場合もあります。例えばMacで起動したイラストアプリを全部iPad側に移動して、Mac側に表示した参考資料を見ながらiPad側でイラストを描くといったことが可能です。利用シーンに合わせて、Sidecarの接続方法も切り替えましょう。

iPadをMacのペンタブレットとして利用する

MacとiPadで同じ画面が表示される

Macでお絵描きアプリを起動する

Apple Pencilで描いたイラストがMac側にも反映される

MacとiPadをSidecarでミラーリングする手順

1 | コントロールセンターのディスプレイから接続

Macのメニューバーからコントロールセンターを開いて「ディスプレイ」をクリックすると、「接続先:」欄に接続可能なiPad名が表示される。これをクリックするとSidecarで接続できる。

2 | ミラーリングを選択する

MacとiPadの画面をミラーリングして使う場合は、「内蔵Retinaディスプレイをミラーリング」を選択。MacとiPadで同じ画面が表示されるようになり、ポインタの操作も連動する。

3 | Mac側の画面で行う操作

Mac側ではイラストアプリなどを起動する。メニューの選択やパラメータの数値入力など、ペン入力以外の操作はMac側で行おう。

メニューなどはMac側で操作

4 | iPad側の画面で行う操作

イラストを描いたり、細かいフォトレタッチを行うには、iPad側の画面を利用する。Apple Pencilの繊細な書き心地が活躍するはずだ。

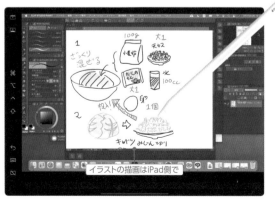

イラストの描画はiPad側で

SECTION 03

093

iPadをWindowsパソコンの サブディスプレイにする

Windowsでも「Sidecar」のような操作が可能に

　iPadをMacのサブディスプレイにする「Sidecar」(No091で解説)と似た機能を、Windowsパソコンでも実現するアプリが「Duet Display」です。Windows側で専用ソフトを起動し、iPadにもアプリをインストールして起動しておけば、あとはUSBケーブルで接続するだけで、iPadをWindowsパソコンの2台目のディスプレイとして使えるのです。Windowsの画面の延長先にiPadの画面があるので、余分な画面をiPad側に置いて画面を広く使ったり、ファイルを2つの画面で開いて見比べながら効率よく作業できます。iPad側の画面は表示の遅延もほとんどなく、指やApple Pencilでタッチ操作も可能です。なお、「Duet Display」はケーブルで有線接続するだけでなく、ワイヤレスでも接続できますが、別途「Duet Air」のサブスクリプション契約(年間2,200円)が必要になります。

1 | Windowsにソフトをインストールする

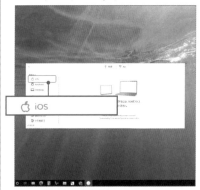

パソコン側では、公式サイト(https://ja.duetdisplay.com/)からWindows用ソフトをダウンロードしインストールを済ませておこう。パソコンを再起動するとタスクトレイに常駐するので、アイコンをクリックして設定画面を開き、左メニューの「iOS」を選択しておく。

2 | iPadにアプリをインストールする

Duet Display
作者 Duet, Inc.
価格 1,220円

iPad側にもDuet Displayのアプリをインストールし、起動する。初回起動時はユーザー登録を求められるが、ケーブルで接続して使うだけなら登録は不要だ。

ケーブルで接続してiPadをサブディスプレイにする

WindowsとiPadでそれぞれ「Duet Display」を起動し、USBケーブルで接続すると、iPadがWindowsのサブディスプレイになる。標準設定では、Windowsの画面の右端とiPadの画面の左端が地続きになり、マウスポインタが行き来できる。iPad側の画面も、カーソルを移動すればマウスで操作できるほか、指やApple Pencilを使ったタッチ操作にも対応。ホーム画面に戻って他のアプリを操作することもできるが、しばらく「Duet Display」の画面を表示していないと、自動で接続が切れる。

Windows側ですぐに使わないウインドウなどを、右端までドラッグしてiPadの画面に移動させれば、Windowsの画面を広く使える。また、Windowsにはソフトのメイン画面だけ置いてツールやパレットをiPad側に配置するなど、さまざまな利用法が考えられる

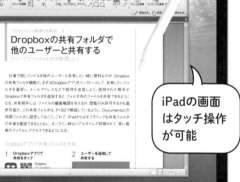

iPadの画面はタッチ操作が可能

使いこなしヒント **ディスプレイの位置関係や表示方法を変更するには**

Windowsのデスクトップを右クリックし、「ディスプレイ設定」をクリックすると、マルチディスプレイの設定を変更できる。iPadの画面の位置を上下左右に変更したり、WindowsとiPadで同じ画面を表示する複製に変更することも可能だ。解像度の変更は、Duet Displayのソフトに設定項目が用意されている。

USB Type-Cポートに色々つなげてiPadの力を拡張しよう

USBケーブルで多彩なデバイスを接続しよう

　最新のiPad ProとAirでは、従来のLightning端子が撤廃され、USB Type-C（以下USB-C）端子が採用されています。iPadのUSB-C端子は汎用性に優れた規格であり、さまざまな周辺機器を手軽に接続することが可能です。USB-C対応の変換アダプターやハブを使えば、従来のUSB（Type-A）端子に対応したデバイスも接続できます。デジタルカメラやUSBメモリ、USBキーボード、オーディオインターフェイス、MIDIキーボード、LANアダプタなど、接続できるデバイスはさまざま。すべてのUSBデバイスがiPadで利用できるわけではありませんが、「iPad対応と書かれていないデバイスでも接続したら使えた」といったことはよくあります。いろいろと手持ちのUSBデバイスを接続してみるといいでしょう。ちなみに、iPhoneを持っている人は、iPadとiPhoneを直接ケーブルで接続してみましょう。iPadの写真アプリを使って、iPhone内の写真をiPadに取り込むことができるようになります（右ページ参照）。また、iPadとiPhoneをケーブル接続した際は、iPad内の大容量バッテリーでiPhoneが充電されるのもポイントです。iPhone以外のデバイスも充電できるので、iPadを一時的なモバイルバッテリーとして活用するといった使い方もできます。

最新のiPad ProとAirで採用されているUSB-C端子

iPadとiPhoneを接続するとiPhone内の写真が取り込める

1 iPadとiPhoneをケーブル接続しよう

❷iPad側で写真アプリを起動する

iPhoneの写真を取り込める!

❸iPhone側で「信頼」をタップしパスコードを入力

❹写真アプリでメニューを開き、デバイス欄に表示されたiPhone名をタップ

❶iPadとiPhoneをケーブルで接続する

まずはiPhoneをiPadにケーブル接続しよう(接続方法については次ページ参照)。iPad側で写真アプリを起動し、iPhone側で「信頼」をタップすれば、写真アプリのメニューにiPhone名が表示される。

2 写真を選択して「読み込む」をタップ

読み込む写真を選択したら、画面右上の「読み込む」→「選択項目を読み込む」をタップしよう。

3 iPhone側の写真を削除するか選択する

読み込んだ写真をiPhoneから削除するかどうかを選択。これでiPad側に写真が取り込まれる。

iPhoneとiPadを
ケーブル接続する

iPhoneのLightning端子と、iPadの
USB-C端子を直接ケーブル接続す
るには、いくつかの方法があります。
もっとも簡単なのは、Appleの
「USB-C - Lightningケーブル」を購
入することです。これならケーブル1本
で双方を簡単に接続できます。また
は、通常のUSB端子をUSB-C端子
に変換するアダプターを使うのもオス
スメ。

Apple
USB-C - Lightningケーブル（1m）
実勢価格／1,980円（税込）

Lightning端子からUSB-C端子に変換して接続でき
るケーブル。これがあれば、iPhoneとUSB-C搭載の
iPadをすぐに接続できる。

Apple
USB-C - USBアダプタ
実勢価格／1,980円（税込）

通常のUSB端子をUSB-Cに変換できるアダプ
ター。LightningケーブルのUSB端子側にこのアダ
プターを接続してiPadとつなごう。

外部ストレージを
USB-Cハブで接続する

iPadのUSB-C端子には、USBメモリ
やSDカード、HDD、SSDなどの外部
ストレージも接続できます。ただし、
HDDやSSDを直接USBケーブルで
接続しただけでは、供給電力が足りず
認識しない場合が多いです。コンセン
トから電源供給できるタイプで、複数
のUSBポートやSDカードスロットを備
えた、USB-Cハブを利用しましょう。

Anker
PowerExpand 6-in-1 USB-C PD イーサネット ハブ
実勢価格／4,590円（税込）

PD対応のUSB-C電源ポートと、データ用USB-C、
USB-A×2、HDMI、イーサネットポートを備えた
USB-Cハブ。

HyperDrive
iPad Pro用 6-in-1 USB-C Hub
実勢価格／8,300円（税込）

iPadのUSB-C端子に直接接続するタイプのUSB-C
ハブ。PD対応のUSB-C電源ポート、USB-A、SDカー
ド、Micro SD、HDMI、3.5mm音声端子を備える。

外部ストレージは
ファイルアプリで管理する

USBメモリやSDカード、HDD、SSD
を接続し、iPadとデータのやり取りを
行うには、「ファイル」アプリを利用しま
す。iPadのUSB-C端子にデバイスを
接続したら、ファイルアプリのサイドメ
ニューを開いて「場所」欄を確認しま
しょう。正常に認識されていれば、デバ
イス名が表示されるので、これをタップ
すると中のファイルを表示できます。な
お、ストレージのフォーマットがEx-
FAT、FAT-32、HSF+、APFSであれ
ば認識できますが、Windowsで一般
に使われるNTFS形式は非対応なの
で、Windowsで使っていたHDDなど
を接続する際は注意が必要です。

SDカードの
ファイルを
確認できた

外部ストレージの
ファイルをiPadにコピー

ファイルアプリで接続したデバイスの中身を開いた
ら、iPadに保存したいファイルを選択して、下部メ
ニューの「移動」で、iPadのダウンロードフォルダなど
にコピーすればよい。

iPadの写真や動画を
外部ストレージに保存

iPadで撮影した写真や動画を外部ストレージに保存
したい場合は、写真アプリで写真を選択して、共有メ
ニューから「"ファイル"に保存」をタップし、外部スト
レージを選択すればよい。

iPhoneとiPadをまたいで コピペする方法

各デバイスでクリップボードを共有できる

iPhoneとiPadを両方持っている人は、「ユニバーサルクリップボード」機能でクリップボードを共有できる事を知っておくと、さまざまな作業が劇的にはかどるはずです。例えば、長文入力が楽なiPadで文章を仕上げてコピーすれば、iPhone側ではメールアプリなどにすぐ貼り付けできます。また、iPhone内にしかない写真をiPadのメモに貼り付けたり、iPadから送信するメールに添付したい場合も、iPhoneで写真をコピーして、iPadのメモでペーストするだけでいいのです。他にアプリやサービスを使う必要はありません。HandoffやAirDropなどの機能とケースバイケースで使い分けましょう。ただし、クリップボードを共有するにはいくつか条件を満たしている必要があるので、設定を確認しておきましょう。

ユニバーサルクリップボードを使うための準備

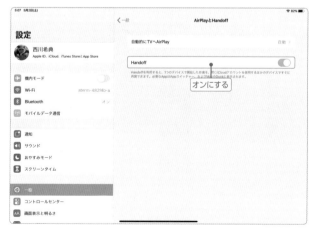

iPhoneとiPadでクリップボードを共有するためには、まず両方のデバイスで同じApple IDを使ってサインインする。さらに両方でBluetoothとWi-Fiがオンになっており、「設定」→「一般」→「AirPlayとHandoff」→「Handoff」もオンになっている必要がある。

iPhoneの写真をiPadのメモに貼り付ける

1 iPhoneで写真をコピーし iPadでペースト

まずは、iPhone側で写真を開いて共有メニューから「写真をコピー」をタップ。続けてiPad側でメモアプリを開き、ロングタップメニューから「ペースト」をタップする。

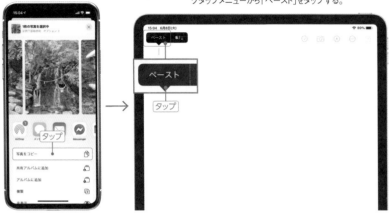

2 iPhoneの写真をiPadのメモに貼り付けできた

「"○○"からペースト中…」と表示され、しばらく待つとiPhoneでコピーした写真が貼り付けられるはずだ。うまく動作しない場合は、一度両方の端末を再起動してみよう。

使いこなし ヒント

Macともクリップボードを共有できる

iPhoneとiPadだけでなく、Macともクリップボードを共有できる。Macの場合は、同様に同じApple IDでサインインし、BluetoothとWi-Fiをオンに。Appleメニュー から「システム環境設定」→「一般」→「このMacとiCloudデバイス間でのHandoffを許可」にチェックしておく。

ドラッグ&ドロップで別のアプリ へファイルを受け渡す

ホーム画面を介して別のアプリにファイルを渡せる

No006で解説したSplit Viewや、No007で解説したSlide Overを利用すれば、ファイルや書類、写真などをドラッグ&ドロップして、2つのアプリ間で簡単にデータのやり取りを行えます。ただ、Split ViewやSlide Overに対応していないアプリでも、ファイルをロングタップしたまま、別の指でホーム画面に戻ることで、好きなアプリの好きな画面にドラッグ&ドロップで移動させることが可能です。ファイルアプリや写真アプリのほかに、PagesやNumbersの書類もドラッグで移動できますし、SafariのURLをドラッグしてメモにサムネイル付きで貼り付けたり、LINEのトークをドラッグしてメールに貼り付けたり、連絡先をドラッグしてvcfファイルをメールに添付するといったことも可能です。意外といろんなアプリのさまざまなデータをドラッグ&ドロップで動かせるので、何かデータを他のアプリで利用したい時は、とりあえずロングタップして動かせないか試してみましょう。

ファイルをドラッグできる状態にする

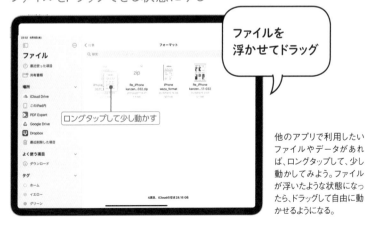

ファイルを
浮かせてドラッグ

ロングタップして少し動かす

他のアプリで利用したいファイルやデータがあれば、ロングタップして、少し動かしてみよう。ファイルが浮いたような状態になったら、ドラッグして自由に動かせるようになる。

ホーム画面を経由して他のアプリにドロップする

1 複数のファイルを選択する

他の指で別のファイルをタップ

ファイルが浮いた状態になったら、他の指を使って別のファイルをタップしよう。複数ファイルをまとめてドラッグできる。この操作はホーム画面のアプリをまとめて移動したい時などにも使える。

2 ホーム画面に戻って他のアプリを起動する

移動先のアプリを起動

ファイルからは指を離さない

浮かせたファイルからは指を離さず、そのまま別の指を使ってホーム画面に戻る。続けて、ファイルの移動先のアプリをタップして起動しよう。

3 他のアプリにファイルをドロップする

「+」マークがあるとファイルを移動できる

アプリが起動したら、ファイルを移動させたい画面や、ファイルを貼り付けたい書類などを開いて指を離そう。この時、ファイルの右上に「+」マークが表示されていないと、移動や貼り付けを行えない。

使いこなしヒント

検索結果のファイルもドラッグして移動できる

ロングタップして少し動かす

ホーム画面を下にスワイプして利用できる検索機能でファイルを検索し、検索結果に表示されたファイル名をドラッグして、他のアプリへ受け渡すこともできる。

テキストもドラッグ&
ドロップで別アプリへ

コピー&ペーストをスマートに行おう

　メモしておいた内容をメールに貼り付けたり、URLをコピーしてTwitterで投稿したいといった時、テキストを選択してからメニューのコピーをタップして、貼り付けたいアプリを開いたらメニューからペーストを選択して……なんて面倒な操作をしていませんか？　実はiPadには、もっとスマートなコピペ方法が用意されているのです。まずテキストを選択状態にしたら、そのままロングタップしてください。すると、テキストが浮いた状態になって、自由にドラッグできるようになります。そのまま別の指で画面を上にスワイプするかホームボタンを押してホーム画面に戻り、貼り付けたい別のアプリを起動しましょう。あとは、別のアプリの貼り付けたい位置にテキストをドラッグして指を離せば、テキストがペーストされます。Slide OverやSplit VIewを使って、他のアプリにテキストを受け渡すこともできます。

1 | テキストを選択
してロングタップ

他のアプリにコピーしたいテキストを選択したら、そのままロングタップしよう。テキストが浮いた状態になり、ドラッグできるようになる。

2 | 他の指で別の
アプリを起動する

テキストをロングタップしたまま、他の指でホーム画面に戻り、テキストを貼り付けたい別のアプリを起動しよう。

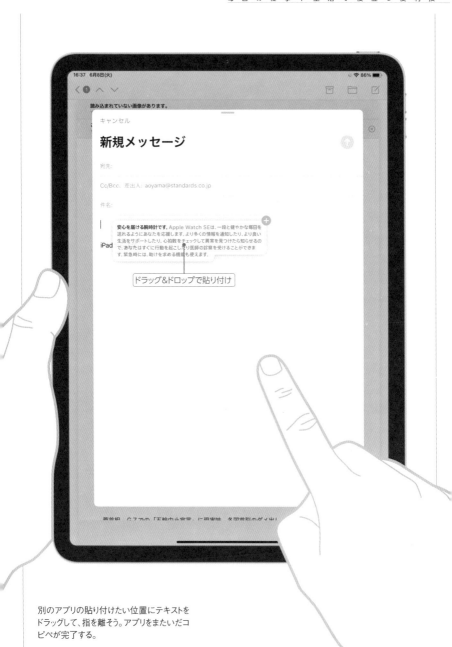

別のアプリの貼り付けたい位置にテキストを
ドラッグして、指を離そう。アプリをまたいだコ
ピペが完了する。

098

iPadでもファイルの圧縮や解凍を行いたい

圧縮も解凍も「ファイル」アプリで行える

「メールに添付された圧縮ファイルを解凍したい」「iPad内のファイルを圧縮して送りたい」といったときは、標準の「ファイル」アプリを使いましょう。ファイルアプリでは、ZIP、AR、BZ2、RAR、TAR、TGZ形式の圧縮ファイルをタップするだけで、解凍して中身のファイルを取り出せます。パスワード付きZIPの解凍にも対応しています。また、複数のファイルをまとめてZIP形式で圧縮することも可能です。ただし、解凍に対応する形式でも、ファイルによってはうまく解凍できないことがあります。また、圧縮できるのはZIP形式のみで、パスワード付きZIPを作成することもできません。非対応の圧縮ファイルを解凍したり、ZIP以外の形式で圧縮したい時は、別途App Storeから対応する圧縮・解凍アプリを入手しましょう。

圧縮ファイルは「ファイル」で扱おう

主要形式の解凍とZIPでの圧縮が可能

標準の「ファイル」アプリを使えば、ZIP、AR、BZ2、RAR、TAR、TGZファイルの解凍と、ZIP形式での圧縮が可能だ。ただしファイルによってはうまく解凍できないものもあるので、別の圧縮・解凍アプリを試そう。

メールに添付された圧縮ファイルを解凍する

1 | 添付された圧縮ファイルを「ファイル」に保存

メールにZIPなどの圧縮ファイルが添付されていたら、タップしてダウンロードしておき、添付ファイルをロングタップ。メニューから「"ファイル"に保存」をタップして保存しよう。

2 | ファイルアプリで圧縮ファイルを解凍する

ファイルアプリで添付ファイルの保存先を開いたら、圧縮ファイルをタップするだけで、すぐにフォルダが作成されて中身のファイルが解凍される。

ファイルをZIP形式で圧縮する

1 | ファイルやフォルダをロングタップして圧縮

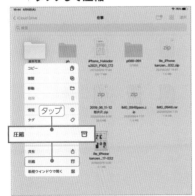

ファイルをZIP圧縮したい時は、圧縮したいファイルやフォルダをロングタップ。開いたメニューで「圧縮」をタップすればよい。

2 | 複数のファイルをまとめて圧縮

複数のファイルを選択状態にして、右下の「その他」→「圧縮」をタップすれば、選択したファイルをまとめてひとつのZIPファイルに圧縮できる。

iPhoneで行っていた作業を即座にiPadで引き継ぐ

超便利なHandoff機能を使ってみよう

iPadやiPhoneには、作業に着手した端末から、近くにある別端末に切り替えても作業を再開できる「Handoff」機能が搭載されています。たとえば、移動中にiPhoneで書きかけていたメールを、帰宅してからiPadで開いて続きを書く、といったことが簡単に行えます。アプリ側がHandoffに対応している必要がありますが、Apple純正アプリであれば問題なく利用できるので試してみましょう。なお、本機能を使うには、各端末で「同じApple IDを使ってiCloudにサインインしている」、「BluetoothとWi-Fiがオンになっている」、「Handoffがオンになっている」必要があります。また、すべて設定してもHandoffが使えない場合は、iCloudから一旦サインアウトして再度サインインしてみてください。

Handoffを使うための設定を行う

1 各端末でWi-FiとBluetoothをオンにする

Handoff機能を使うには、各端末でWi-FiとBluetoothをオンにする必要がある。コントロールセンターでオンになっているかチェックしよう。

2 各端末でHandoffをオンにする

「設定」→「一般」→「AirPlayとHandoff」で「Handoff」をオンに

また、各端末で「Handoff」がオンになっているかも確認しよう。同じApple IDでiCloudにサインインしているかもチェックだ。

iPhoneで行っていた作業をiPadに引き継ぐ方法

1 | iPhoneで途中まで作業を行う

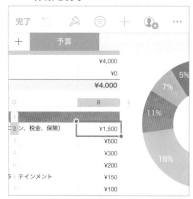

iPhoneで作業している途中でも、iPadに作業を引き継ぐことが可能だ。iPhone側の画面を作業途中のまま開いておき、iPadに持ち替えよう。

2 | iPadのDockでHandoffアプリを起動

iPad側では、Dockの右側にある最近使ったアプリの一覧に、iPhoneのマークが付いたHandoff対応アプリが表示されるので、これをタップ。

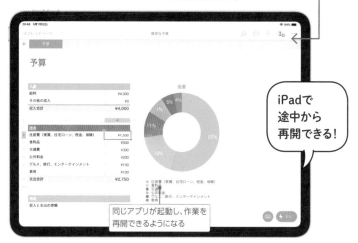

iPadで途中から再開できる！

同じアプリが起動し、作業を再開できるようになる

使いこなしヒント

iPadからiPhoneへ引き継ぐ場合は?

iPadの作業をiPhoneで引き継ぎたい場合は、iPhone側でAppスイッチャー画面を表示しよう。画面の下の方にiPadで作業中のアプリ名のバナーが表示されるので、これをタップすれば、作業を引き継いで再開できる。

100

長文入力にも利用できる
高精度の音声入力機能

キーボードより高速に入力できる

　iPadでの文字入力が苦手な人にぜひ知っておいて欲しいのが、音声入力の快適さです。やたらと人間臭い反応を返してくれる「Siri」の性能を見れば分かる通り、これまでのバージョンアップで培われた技術によって、iOSやiPadOSの音声認識はかなり精度が高くなっています。喋った内容はほぼリアルタイムでテキストに変換してくれますし、自分の声をうまく認識しない事もほぼありません。メッセージの簡単な返信や、ちょっとしたメモに便利なだけでなく、長文入力にもおすすめ。フリックでの高速入力に慣れている人でも、音声入力の方が速く入力し終わる場面があるでしょう。ただし、句読点や記号を入力するには、それぞれに対応したワードを声に出す必要がありますので、そこだけは慣れが必要です。また、誤入力や誤変換があっても、とりあえず最後まで一気に入力を済ませてしまうのがコツ。あとから間違った文字列を探して、まとめて再変換するのが効率的です。入力した文字の削除も音声入力では行えないので、一度キーボードに戻して削除キーをタップするか、3本指で左スワイプして取り消しましょう。

iPadで音声入力を利用にするには

1 | 設定で「音声入力」をオンにしておく

まず「設定」→「一般」→「キーボード」をタップして開き、「音声入力」のスイッチをオンにしておこう。

2 | マイクボタンをタップする

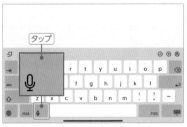

キーボードにマイクボタンが表示されるようになるので、これをタップすれば、音声入力モードになる。

音声入力の画面と基本的な使い方

音声でテキストを入力していこう

マイクに話しかけると、ほぼリアルタイムでテキストが入力される。句読点や主な記号の入力方法は下にまとめている。

句読点や記号を音声入力するには

かいぎょう	→	改行
たぶきー	→	スペース
てん	→	、
まる	→	。
かぎかっこ	→	「
かぎかっことじ	→	」
びっくりまーく	→	!
はてな	→	?
なかぐろ	→	・
さんてんリーダ	→	…
どっと	→	.
あっと	→	@
ころん	→	:
えんきごう	→	\
すらっしゅ	→	/
こめじるし	→	※

キーボード画面に戻るには

タップ

元のキーボード入力画面に戻るには、文字入力の画面内を一度タップするか、右下のキーボードボタンをタップすればよい。

使いこなしヒント

英語の音声入力モードになってしまう時は

英語キーボードの状態でマイクボタンをタップすると、英語の音声入力モードになるので注意しよう。日本語で話しかけても、発音が似た英文に変換して入力されてしまう。左下の地球儀ボタンをタップすると、日本語と英語の音声入力モードを切り替えできる。

101 音声入力の文章をすぐに パソコンで整える連携技

Googleドキュメントを使った最速編集テクニック

　No100で紹介している通り、iPadの音声入力はかなり実用的なレベルで使えます。ただし、不満がないわけではありません。最も不便に感じるのは、音声入力だと文章の修正が面倒という点です。文章を考えながらテキストに起こす時は、どうしても文章をいったん消して書き直すことが増えますし、テキストの入れ替えや、コピー&ペーストといった操作も多用します。もちろん誤字脱字も、気付いた特にすぐ修正できる方がいいに決まっています。このようなちょっとした編集作業が、音声入力では行えません。いちいちキーボードに切り替える必要があり、そのキーボード上での編集作業も、あまり快適とは言い難い。これはストレスが溜まります。iPadの音声入力は、せっかく考えたことをすぐテキスト化できるリアルタイム性に優れているのに、考えをまとめて整理するための編集能力が弱いのです。しかし、そんな不満点をすべて解消してくれる、素晴らしい使い方があります。それが、Googleドキュメントを利用した、iPadとパソコンの連携技です。まずiPadとパソコンの両方で、同じGoogleドキュメントの画面を開いてください。この状態でiPadの音声入力を使い、Googleドキュメントに文章を入力していくと、ほとんど間をおかず、パソコンの画面にも同じ文章が表示されていくはずです。つまり、iPadに喋ってテキストを音声入力しながら、パソコンの画面上で即座に修正できるのです。この連携技は、そもそもパソコンを持っていないと使えないのと、パソコンの画面にテキストが表示されるまで若干タイムラグが発生するといった欠点はありますが、長文入力も苦にならない音声入力の快適さを損なわずに、入力ミスした文章も素早く修正できてストレスを感じません。この方法を使えば、音声入力の問題はほぼすべて解消すると言っても過言ではありません。ぜひ一度、試してみてください。

iPadとパソコンで同じGoogleドキュメントを編集

Googleドキュメント

https://docs.google.com/document/

iPadの
音声入力テキストが
表示された!

誤字脱字などは、パソコン
側でリアルタイムに編集
できる

iPadのGoogleドキュメントで音声入力したテキストは、パソコンのGoogleドキュメントにもリアルタイムで表示されていく。誤字脱字や差し替え箇所があれば、iPadに喋りながらでもパソコン側ですぐに修正できる。

パソコンの修正が
反映された!

iPadでGoogleドキュメントアプリを開き、音声入力でテキストを入力していこう。入力ミスした箇所は、パソコン側で開いた同じGoogleドキュメントの画面で、すぐに修正できる。

Google ドキュメント
作者 Google LLC
価格 無料

102
連絡先をユーザ辞書に
する音声入力の裏技
音声入力でも好きな言葉に変換できる

iPadの音声入力で不満を感じる点の一つに、変換候補を選べないという問題があります。また、ユーザ辞書に登録した単語も、音声入力だと反映されません。そこで、「連絡先」アプリをユーザ辞書代わりにするという、少し裏技的な方法を使ってみましょう。まず「性」に変換する単語を、「性（フリガナ）」に読み仮名を入力しておきます。すると、音声入力で「性（フリガナ）」に入力した読み仮名を話せば、「性」の単語に変換されるようになるのです。あまり大量に登録してしまうと、今度は連絡先アプリの使い勝手が悪くなってしまいますが、「ジタクメール」の音声でメールアドレスを入力するなど、頻繁に変換する言葉や文章をいくつか登録しておくと便利です。

1 | 連絡先アプリで
性とフリガナを入力

音声入力で好きな言葉に変換したいなら、連絡先アプリを利用しよう。まず「性」に単語、「性（フリガナ）」に読み仮名を入力。

2 | 音声入力で連絡先の
単語に変換される

音声入力で、「性（フリガナ）」に入力した読み仮名を話すと、「性」の単語に変換されるようになる。

SECTION 03

103

表計算にも手書きで
あれこれ書き込みたい

ExcelでもApple Pencilを活用しよう

　取引先から送られてきたExcelファイルに、ちょっとした修正指示を書き込んで送り返したい……。そんなときにはApple Pencilが活躍します。まずは、iPad版の「Microsoft Excel」でファイルを開きましょう。あとは、Apple Pencilで画面に書き込むだけ。特に事前の設定をしなくても、手書きメモをそのまま書き込めます（ただし10.2インチ以上のiPadで編集や描画を行うには、有料のOffice 365の契約が必要）。ペンの種類や色、太さなどを変えたかったら、「描画」メニューから好みのものにカスタマイズしましょう。書き込み内容は、ペンで描画したオブジェクトとして扱われ、パソコンで開いてもきちんと見ることができます。ですので、書き込んだExcelファイルをそのまま取引先に送っても問題ありません。なお、Appleの表計算アプリである「Numbers」も、Apple Pencilでの書き込みに対応しています。ファイルに直接手書きメモを書けるのは意外と便利なので、使いこなしてみましょう。

Excelファイルに手書きのメモを残せる

ファイルに直接手書き
メモを書き込める

Microsoft Excel
作者 Microsoft Corporation
価格 無料

ファイルを開いた状態でApple
Pencilを使うと、そのまま手書
き文字が書き込める。ちょっと
した修正指示やメモなどを残し
たいときに便利だ。

104

ひとつの書類を何人かで同時に共同作成する

特にビジネスシーンで便利な機能

　Googleのオフィスアプリ「Googleドキュメント」や「Googleスプレッドシート」を使えば、複数のユーザーで同じファイルを共同編集できます。例えばシフト表を共有しておけば、この日は田中さんが休みたいようだから自分が入ろうといった変更を加えると、その最新のシフト表は、田中さんを含めた全員がすぐに確認、共有できます。また膨大なデータ入力が必要な資料を作成する場合も、大勢のユーザーで一緒に入力していけば、作業はあっという間に終わります。Googleアカウントは、Androidユーザーを始め多くの人が持っていますから、わざわざアカウントを作成してもらわなくてもすぐに共有できる点もメリットです。

共同作成するユーザーを招待する

1 | ユーザー追加ボタンをタップ

Googleドキュメント
作者 Google LLC
価格 無料

Googleスプレッドシート
作者 Google LLC
価格 無料

Googleドキュメントやスプレッドシートで複数のユーザーと共同作成したいファイルを開いたら、上部のユーザー追加ボタンをタップしよう。

2 | ほかのユーザーを招待する

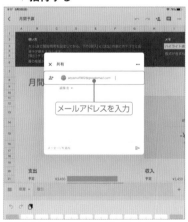

招待する人のメールアドレスを入力して、招待メールを送信しよう。「編集者」をタップすると、招待するユーザーの編集権限を変更できる。

ファイルの同時編集と共有の停止

1 複数のユーザーで共同編集できる

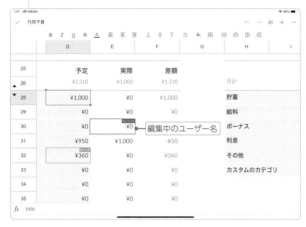

他のユーザーが編集中の箇所には、そのユーザー名が表示される。最大で100人のユーザーが同時にコメントや編集を行え、最大で200のユーザーまたはグループと共有できる。

2 編集させたくない人は表示のみ許可

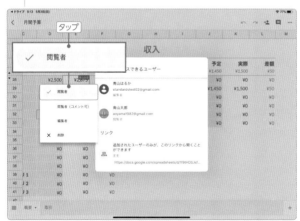

ユーザー追加ボタンをタップして「アクセスできるユーザー」欄をタップ。ユーザー名の下にある「編集者」や「閲覧者」をタップすると、そのユーザーの編集権限を変更できる。ファイルの内容を変更させたくないユーザーは、「閲覧者」にチェックして表示許可のみを与えておこう。

使いこなしヒント

書類は常にクラウド上で最新版を確認する

共同編集した書類は、プリントアウトしたりオフィスファイルとして出力可能だが、基本的には常にアプリやWebブラウザでクラウド上の書類を閲覧するようにしよう。ファイルや紙だとバージョン管理が煩雑。全員がリアルタイムに最新版の書類を確認できる、という仕組みを最大限活かしたい。

105

Pagesのスマート注釈機能で文章校正を効率化

テキストの編集に合わせて注釈も移動する

文章を校正、添削する時にぜひ使ってみて欲しいのが、Apple純正の文書作成アプリ「Pages」に搭載されている、「スマート注釈」機能です。Pagesで作成したテキストに手書きで直接注釈を書き込めるというものですが、この機能が凄いのは、テキストを編集して注釈を加えた位置がずれても、テキストと共に注釈も一緒に移動してくれる点。注釈をいちいち手動で移動したり書き換えなくても良いのです。注釈ツールは「ペン」か「ハイライト」を選択でき、太さや不透明度、カラーも変更できます。書き込んだ注釈を消去するには、ツールバーの消しゴムツールを使うか、「…」→「すべてのスマート注釈を消去」をタップしてまとめて消去できます。

Pages
作者 Apple
価格 無料

スマート注釈を使うには、Apple Pencilで画面上の適当な場所をタップし、ツールバーから注釈ツールを選択する。指を使う場合や、Apple Pencilを「選択とスクロール」モードにしている場合は、画面右上の「…」→「スマート注釈」をタップする。

iPadでPages書類に注釈を付ける

Apple Pencilまたは指で、ペンやハイライトツールを使って編集したりその他のマークを書類に追加したりできます。「スマート注釈」マークは、テキスト、オブジェクト、またはそれらを追加した表のセルに接続されるので、それらと一緒に移動します。関連付けられたテキスト、オブジェクト、またはセルを削除すると、注釈削除されます。

Apple Pencilで注釈を付けるには、ページ上の好きな場所タップし、画面の下部にあるツールバーで注釈ツールをタッ ます。指を使う場合や、「選択とスクロール」をオンにして 合は、「詳細」ボタンをタップして、「スマート注釈」を します。

プリセットの色をタップするか、カラーホイ タップして、カスタムの色を選びます。コントロール群を 自分で色を混ぜ合わせてから、追加ボタンをタップして、 をよく使う色として保存します。よく使う色を削除するには の色の丸印をタッチしたまま長押しし、「削除」をタップし す。

消去するには、画面の下部にあるツールバーで消しゴムツールをタップし、注釈をタップします。注釈ツール するには、画面の下部にあるツールバーで「詳細」ボタン をタップし、「すべてのスマート注釈を消去」をタップ

書類を共有している場合、共有 ます。注釈はいつでも表示または非表示に た、完全に

スマート注釈の動作

1 | スマート注釈機能で注釈を書き込む

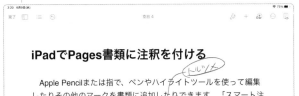

注釈ツールをタップしペンの種類やカラーを選択して、手書きで注釈を加えよう。一度に書き込むとひとまとめの注釈として認識され、注釈を入れた位置のテキストと関連付けられる。

2 | テキスト位置に合わせて注釈も移動

注釈を入れたテキストがずれると、自動的に注釈の位置も移動する。注釈を一度タップすると一瞬赤く表示されるテキストが、注釈と関連付けられたテキストになる。

使いこなし
ヒント

PDFやWord形式に変換したらスマート注釈はどうなる?

Pagesで作成した書類は、PDFやWord形式に変換して書き出すこともできる。この時、スマート注釈で書き込んだ注釈は、PDFで出力した場合のみ、そのまま表示される。Wordなど他の形式で出力した書類には、スマート注釈の内容は反映されないので気をつけよう。

106 言い換え機能が助かる 文章作成アプリ

ワンパターンの表現を避けられる

文章を書いていると、つい同じ表現や言い回しを多用しがちという人におすすめの文章作成アシストアプリが「idraft」です。オンライン辞書「goo辞書」のノウハウを活かして開発されたアプリで、文章を入力して「言い換え」ボタンをタップするだけで、言い換えや類語をリストアップして、候補を提案してくれるのです。候補から選んでチェックを入れると、すぐにその語句に修正できます。また「校正」ボタンをタップすると、ら抜き言葉や間違いやすい言い回し、慣用句をチェックしてくれます。テキストを選択して「辞書」ボタンをタップすれば、国語辞典や類語辞典、英和・和英辞典などですぐに調べることもできます。SNSやブログに投稿する前に、このアプリでしっかり推敲すると、より読みやすい文章に仕上がるでしょう。

言い回しを変えて読みやすい文章に

タップするだけで別の言い換えに変更できる

idraft by goo
作者 NTT Resonant Inc.
価格 無料

文章を入力したら、下部の「言い換え」ボタンをタップしよう。言い換えがある語句は候補が表示され、タップするとその候補に修正できる。重要なメールや資料作成の下書きに活用しよう。

107

LINEにやるべきことを
知らせてもらう

LINEで「リマインくん」を友だち追加しよう

　ToDo管理アプリにやるべきことを登録しても、ついつい通知をスルーしてしまう……なんて人は、LINEを利用したToDo管理を試してみましょう。やり方は簡単。「リマインくん」というパーソナルリマインダーbotを、LINEの友だちに追加するだけです。あとは、リマインくんとのトーク画面で「新しいリマインダ」をタップし、「電話する」、「明日の12時」とリマインドする内容と日時を入力するだけ。すると、設定した日時にリマインくんがトークで知らせてくれます。LINEの通知も表示されるので、LINEを普段使っている人であれば絶対に見逃さないはず。これなら通知をスルーせず、やるべきことを忘れないようにできます。まずは、Safariで「リマインくん」と検索してヒットするページで「今すぐ友だちに追加」をタップし、LINEに友だちとして登録しておきましょう。

1 | リマインド内容を
メッセージ送信

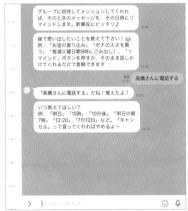

リマインくんとのトーク画面を表示。「○○さんに電話する」など、リマインドして欲しい内容をメッセージとして送信する。

2 | 知らせて欲しい日時を
メッセージ送信

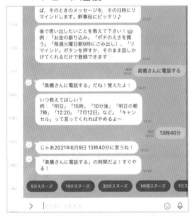

続けて「13:00」や「火曜日の19時」、「5/20の15:30」のように、リマインドして欲しい日時をメッセージ送信する。これで指定日時にLINEで知らせてくれる。

108 パソコンのデスクトップの ファイルをiPadから利用する

Dropboxでデスクトップを自動同期しよう

　会社のパソコンに保存した書類をiPadで確認したり、途中だった作業をiPad で再開したいという時は、デバイスを選ばずアクセスできるように、会社の書類をま とめてクラウドサービスにアップロードしておきましょう。特に、仕事上のあらゆる ファイルをデスクトップ上に保存している人は、Dropboxの「パソコンのバックアッ プ」機能が便利です。パソコンのデスクトップ上のフォルダやファイルが丸ごと自 動同期されるので、特に意識しなくても、会社で作成した書類をiPadでも扱えるよ うになります。ただ、Dropboxは無料プランだと2GBしか使えません。容量が足り ない場合は、当面使用するファイルだけを選んでデスクトップに保存するか、思い 切って2TBまで使える有料プランに加入しておきましょう。

1 Dropboxの 基本設定を開く

パソコンのシステムトレイにあるDropboxアイコンをク リックし、右上のユーザーボタンで開いたメニューから 「基本設定」をクリックする。

2 バックアップの設定 ボタンをクリック

Dropboxの基本設定画面が開くので、「バックアッ プ」タブをクリック。続けて「このPC」欄にある「設定」 ボタンをクリックしよう。

3 | 「デスクトップ」に チェックする

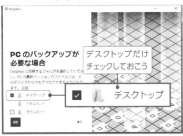

Dropboxで自動同期するフォルダを選択する。仕事の書類をデスクトップ上に保存しているなら、「デスクトップ」だけチェックを入れて「設定」をクリックし、指示に従って設定を進めよう。

4 | バックアップフォルダ が作成される

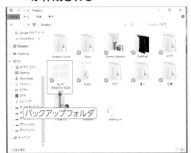

Dropboxの「MyPC（デバイス名）」→「Desktop」フォルダに、パソコンのデスクトップにあるファイルやフォルダがすべて同期される。同期したフォルダ内のファイルを削除すると、Dropboxとパソコンの両方から削除されるので注意しよう。

5 | Dropbox公式アプリでアクセスする

Dropbox
作者 Dropbox, Inc.
価格 無料

iPadでは、Dropboxアプリを起動して「My PC」→「Desktop」フォルダを開くと、会社のパソコンでデスクトップに保存した書類を扱える。

使いこなし
ヒント

Macの書類はiCloudで同期しよう

Macのデスクトップや書類フォルダのファイルをiPadで扱いたいなら、iCloudで同期した方が簡単だ。Macで「システム環境設定」→「Apple ID」→「iCloud」を開き、「iCloud Drive」の「オプション」ボタンをクリック。「"デスクトップ"フォルダと"書類"フォルダ」にチェックすれば、iCloudドライブ上で自動同期する。

109 プリントアウトはコンビニの コピー機を利用する

自宅のプリンタはもういらない

プリンタの購入を考えている人は、一度冷静に使い道を考えてみましょう。クーポンなどは印刷しなくても画面を見せればいいし、年賀状もメールで済ませることが増えました。よく考えたら、プリンタで印刷する機会はそうないのではないでしょうか。でもプリンタがないならないで、たまに書類の印刷が必要な時に困る……という人は、セブンイレブンのコピー機を自宅のプリンタ代わりに使える、「netprint」サービスの利用が便利です。iPadから書類や写真をアップロードし、セブンイレブンのコピー機で予約番号を入力すれば、印刷ができるのです。24時間使えるし、A3印刷もできるし、レーザープリンタなので出力もきれい。出先で急に書類が必要になっても、すぐに対応できます。料金は白黒が20円から、カラーが60円からとやや割高ですが、プリンタ本体とインク代を考えれば、こちらのほうがランニングコストを低く抑えられます。

1 | かんたんnetprint を起動する

かんたんnetprint
作者 FUJIFILM Business
Innovation Corp.
価格 無料

「かんたんnetprint」を起動し、右下の「+」をタップ。「写真を選ぶ」や「文書ファイルを選ぶ」をタップしよう。

2 | 印刷したい ファイルを選択

文書ファイルはiCloudドライブやGoogleドライブから、写真は写真アプリから、印刷したいものを選択しよう。

ファイルを登録してコンビニで印刷する

1 | 印刷したい ファイルを登録

印刷したいファイルを選択するとこの画面になるので、用紙サイズやカラーモードを確認し、右上の「登録」をタップしよう。

2 | 予約番号を確認 してコンビニへ

ファイルの登録が完了すると、プリント予約番号が表示される。予約したデータは、右上のゴミ箱ボタンで削除できるほか、翌日23時59分になれば自動削除される。

3 | コンビニの コピー機で印刷

セブンイレブンのコピー機で「プリント」→「ネットプリント」を選択、プリント予約番号を入力すれば印刷が開始される。

電子書籍の気になる文章を保存しておく

ハイライト機能を使いこなそう

110

心に響く大事な文章や、あとで読み返したい伏線ポイントなど、本を読んでいると内容をメモしておきたい瞬間があります。Amazonの電子書籍を読める「Kindle」アプリなら、そんな気になる文章に蛍光ラインを引いて簡単にハイライトしておける上、ハイライトした文章だけをまとめて表示することもできます。ハイライトのカラーは4色用意されており、それぞれのカラーで絞り込み表示したり、より大事な文章にはスターを付けておくこともできます。電子書籍のハイライトはいつでも消せますので、紙の本に直接ペンで書き込むのは気が引けるという人も、気軽にばんばん線を引いてメモしておきましょう。

蛍光ペンで
線を引くように
メモしておける

Kindleアプリのハイライト機能を使えば、重要な文章やあとで読み返したい文章に、蛍光カラーの線を引いてメモしておける。

文章をハイライトしてまとめて確認する方法

1 | 文章をロングタップ してカラーを選ぶ

Kindle
作者 AMZN Mobile LLC
価格 無料

ロングタップでハイライトしたい文章を選択すると、ポップアップメニューが表示されるので、マーカーの色を4色から選んでタップしよう。

2 | マイノートを開いて ハイライトを確認

ハイライトした文章をまとめて確認したいときは、画面内を一度タップしてメニューを表示させ、右上のマイノートボタンをタップしよう。

3 | カラーやスターで 絞り込みも可能

ハイライトした文章がまとめて表示される。左上のフィルターボタンをタップすれば、ハイライトの色や星付きなどの条件で、絞り込み表示することも可能だ。

使いこなしヒント

「ブック」アプリでも ハイライトを利用できる

Apple標準の「ブック」アプリも、文章をロングタップしてそのままドラッグすれば、選択範囲がすぐにハイライトされる。Apple Pencilがあればもっと簡単で、ペンでなぞるだけでハイライトできる。ハイライトした文章をまとめて確認するには、左上のボタンから「メモ」タブを開けばよい。

111

ニュースもツイートも
あとで読むために保存する

気になる記事は「Pocket」に保存しよう

ちょっと気になる記事を見つけたけど、今は時間がないのであとでじっくり読みたい……そんなときは、「あとで読む」系のアプリを使ってみましょう。ここでは、昔から定番になっている「Pocket」を利用します。たとえば、Safariでニュースサイトを閲覧しているときに、あとで読みたい記事を見つけたとします。その場合は、共有ボタンをタップして、続けてPocketをタップすれば、その記事がPocket側に保存されます。あとでPocketアプリを起動すれば、保存した記事をオフラインでゆっくり読むことが可能です。また、保存した記事の音声読み上げ機能も搭載されているので、作業をしつつイヤホンでニュースをチェックしたいときにも便利。共有拡張機能の設定をあらかじめ済ませる必要はありますが（右ページ参照）、Safari以外にもTwitterやInstagramなど、あらゆるアプリの共有ボタンからデータを保存できます。

Pocketに保存された

あらゆるアプリの共有ボタンから
Pocketに保存できる

タップ

右ページで紹介している共有拡張機能の設定を行えば、アプリの共有ボタンから保存が可能だ。保存した記事はPocketアプリで読むことができる。

Pocket
作者 Read It Later, Inc
価格 無料

共有拡張機能を設定しておこう

1 | 共有拡張機能の 設定を開始する

Pocketをインストールしてログインしたら、この画面で「共有拡張機能を有効にする」をタップ。Safariが起動するので、画面右上の共有ボタンをタップしよう。

2 | 共有メニューで 「その他」をタップ

共有ボタンをタップすると共有メニューが表示される。アプリ一覧を左へスワイプして、右端の「その他」をタップしよう。

3 | 「Pocket」を 追加する

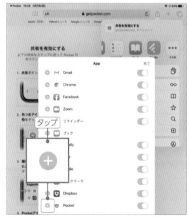

「編集」をタップし、「Pocket」のオンを確認した上で左端の「+」ボタンをタップ。よく使う項目に追加しておく。

4 | 共有メニューで Pocketをタップ

前の画面に戻ると共有メニューに「Pocket」が追加されているはずだ。タップして「有効になりました!」と表示できれば設定完了だ。

112 マップで検索した場所は とにかくすぐに保存しておく

行きたい場所がいつも目に入るように

　雑誌やWebで気になったショップや食べログでチェックしたレストラン、友人に教えてもらった穴場の観光スポットなど、マップで検索した場所は、とにかくすぐに保存しておきましょう。保存したスポットは、マップ上に目立つように表示されます。例えば、チェックしたカフェの近くに以前保存したいい感じのパン屋があったら、じゃあついでに立ち寄ってみようとなりますよね。「必ず行こう」や「いつか訪れたい」というスポットはもちろん、「ちょっと寄ってみてもいいかも」というスポットも同じようにどんどん保存して、マップを充実させていきましょう。また、旅行で宿泊するホテルや利用するバス乗り場なども、後で「どこだったっけ?」とならないよう、調べたらすぐに保存が鉄則です。ちなみに本書では、標準マップアプリより高機能なGoogleマップを使って解説します。

スポットの保存方法

1 情報パネルの 「保存」をタップ

スポットを検索し、画面下部に表示される情報パネルの「保存」をタップ。続けて保存先のリストを選択しよう。保存したスポットは右ページのように表示される。

2 マイプレイスで 一覧表示できる

保存したスポットは、サイドメニューの「マイプレイス」で保存先リストを選んで一覧表示することができる。

お、この店
この辺だったんだ

保存した場所が星や
ハート、フラグマーク
で表示される

Googleマップ
作者 Google LLC
価格 無料

保存したスポットはマップ上でこのように表示。マップをより広い範囲で表示してもマークは同じ大きさで表示される。保存スポットが多いエリアを目がけて、外出の予定を立てるのもあり。保存スポットが増えれば増えるほど、マップを眺めるだけで楽しくなってくるはず。

113 あそこに寄って行きたい…
にも対応できる経路検索機能

Googleマップの隠れた便利機能

　Googleマップの経路検索は、出発地と目的地を入力するだけで、最適な道順と距離、所要時間を教えてくれる機能です。旅行やドライブの際はもちろん、日常的な移動でも大活躍します。駅から目的地まで徒歩でどれくらいかかるか知りたいときや、車で遠出する際の到着時間の目安を知りたいときなどにも便利。自分の感覚を頼れない方向音痴の人にとっては命綱とも言える機能です。また、2つの地点を設定して検索するだけでなくその間の経由地も指定できるので、「あのお店に寄って行きたい」や「午後にこの4箇所をまわらなければならない」といった状況でも、余分にかかる時間やベストなコースをすぐに把握できます。経由地を追加して経路検索したい場合は、まず通常通り経路検索を行い、入力欄右のオプションメニューボタン（3つのドット）をタップしましょう。画面の下にメニューが表示されるので「経由地を追加」をタップします。そして寄りたい場所を入力すればOKです。ただし、後から入力した経由地が目的地に設定されてしまいますので、ドラッグして入れ替える必要があります。慣れてきたら、経由したいスポットを最初の目的地として入力するとよいでしょう。

経路検索結果でオプションを表示する

画面右下の矢印ボタンや、検索したスポットの「経路」ボタンをタップして経路検索を行い、入力欄右のオプションメニューボタンをタップ。続けて「経由地を追加」をタップしよう。

経路検索に経由地を追加する

1 | 画面上部で経由地を入力

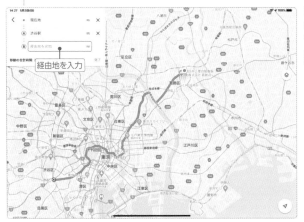

「経由地を追加」と表示されたボックスに、経由したいスポット名や住所を入力しよう。経由地は複数指定することができる。

2 | 経由地と目的地を入れ替える

このままだと後から入力した経由地が目的地になってしまうので、三本線部分をドラッグしてA地点とB地点を入れ替える。

使いこなし ヒント	**公共交通機関では経由地を設定できない**

経由地の追加は、移動手段に自動車か徒歩、自転車を選択した時のみ利用できる機能で、公共交通機関では利用できない。電車移動で経由地を設定した経路検索を行いたい場合は、「Yahoo!乗換案内」アプリを利用しよう。ルート検索画面に「＋経由」というボタンがあるので、タップして経由駅を指定すればよい。

114

混雑や遅延確実な路線は あらかじめ避けて経路検索する

特定の路線を迂回して再検索する方法

　「電車が遅れて打ち合わせに遅刻しそうになった」、「花火大会の影響で電車が異常に混んでいて乗れなかった」といった経験、1度はありますよね。事前に運行情報が分かれば、別の路線かバスで迂回して移動したのに……と考える人もいるでしょう。そこでオススメなのが「Yahoo!乗換案内」です。このアプリでは、路線の運行情報をいち早くチェックできるだけでなく、遅延や運休時に迂回路をすばやく再検索することが可能です。また、「あの路線はこの時間めちゃくちゃ混むから乗りたくない……」とか「地下鉄は苦手だからできるだけ避けたい……」といった個人的な理由でも、乗換検索結果で指定した路線を回避したルートを再検索できます。

遅延や運休、混雑を避けて再検索する

1 | 遅延や運休、混雑の 情報が検索結果に表示

Yahoo!乗換案内
作者 Yahoo Japan Corp.
価格 無料

ルート検索の結果で、路線が遅延・運休していたり、異常な混雑が予想される場合はこのように表示されるので、「詳細と迂回路」をタップしよう。

2 | 問題の路線を 迂回して再検索する

次の画面で「ルートを再検索」をタップすれば、迂回路を使った再検索が可能だ。ただし、ルートによっては迂回路が見つからない場合もある。

指定した路線を回避して
ルート検索を行う

特に遅延や運休がない場合でも、ルート検索結果の下部にある「迂回」ボタンをタップし、避けたい路線だけチェックして「ルートを再検索」をタップすれば、その路線を避けたルートを検索できる。

使いこなし
ヒント

路線の混雑予報をチェックする

画面下部のメニューで「運行情報」をタップし、続けて路線を選択。次の画面で「混雑予報」タブをタップすれば、当日から4日先までの混雑予報を確認可能。混みそうな時間帯をあらかじめ回避することができる。

通信量節約にもなる
オフラインマップを活用する

あらかじめ地図をダウンロードしておこう

Googleマップは、オフラインでも地図を表示できる「オフラインマップ」機能を備えています。あらかじめ指定した範囲の地図データを、iPad内にダウンロード保存しておくことで、圏外や機内モードの状態でもGoogleマップを利用できるのです。ダウンロードした地図を利用するのに、特別な操作は必要ありません。オンライン時と同じように地図を表示でき、スポット検索やルート検索（自動車のみ）、さらにナビ機能なども利用できます。特に電波の届きにくい山の中や離島に行くことがあれば、その範囲をダウンロードしておくと便利です。また日本国内だけでなく、海外の多くの地域でもオフラインマップを利用できます。海外旅行でGoogleマップを使いすぎると、どうしても通信量が嵩むため、日本にいるうちにダウンロードしておくのがおすすめです。なお標準の設定では、地図データをダウンロードするのにWi-Fi接続が必要です。またダウンロードデータの容量が大きいので、iPadの空き容量にも注意しましょう。

タップ

オフラインマップ

Googleマップのメニューで「オフラインマップ」をタップし、「自分の地図を選択」をタップ。ダウンロードしたいエリアを枠内に入れて「ダウンロード」をタップしよう。

写真・音楽・動画を楽しむ便利技

写真をもっときれいに撮影する ちょっとした手動操作

ピントと露出の手動調整方法を知っておこう

　焦点距離や絞りといった用語が何を指すのか全く分からない素人でも、iPadのカメラで撮影すると、なんだかいい感じの素敵な写真に仕上がりますよね？iPadのカメラは非常に優秀ですから、特に何もしなくても、オートフォーカスでピントを合わせて露出を自動調整してくれて、その一瞬に最適な設定で写真を撮影してくれるのです。自分で必要なのは、シャッターボタンをタップするという操作だけ。特に最近のiPadであれば、一眼レフなんて触ったことがなくても、背景をぼかしたプロっぽい写真まで、簡単に撮影できてしまいます。ただ、あえて手前ではなく奥にピントを合わせたり、画面を明るく／暗くしたり、少し画面に変化を付けて撮影したい場合もあるでしょう。そんな時は、手動で設定を変更して撮影することもできるので覚えておきましょう。まず、奥の被写体をメインに撮影したい場合は、画面内でその部分を一度タップしてみましょう。すると、黄色い枠が表示され、タップした部分にピントと露出が合うはずです。また、ピントを合わせた部分が明るいと暗い画面に、暗いと明るい画面に自動的に露出が調整されてしまいます。この露出を自分で調整したい時は、画面をタップしたままで、指を上下に動かしてみましょう。太陽マークが上下に動き、手動で画面を明るく／暗く調整できます。さらに、画面内をタップして、そのまましばらくタップし続けていると、上部に「AE／AFロック」と表示されて、タップし続けた部分にピントと露出が固定されます。この状態でカメラを動かしても、ピントと露出は固定した位置から変わりません。画面内をもう一度タップすれば、AE／AFロックは解除されます。これらの手動調整テクニックを使えば、逆光で撮影したい時なども、意図した通りの画面でうまく撮影することができるようになります。

きれいに写す
ひと手間を

タップしてピントと露出を合
わせる。タップしたまま上下
にドラッグして画面を明るく
／暗くする

意図的に画面の奥にピントを合わせたい時は、
その部分をタップしよう。また画面が暗くなった
ら、タップしたままで指を上にスライドさせると、露
出が変わって画面を明るくできる。画面内をロン
グタップすると、上部に「AE／AFロック」と表示
され、その位置でピントと露出が固定される。

目当ての写真をピンポイントで探し出す検索方法

「ラーメン」や「海」の写真を探し出せる

　iPadであの日撮ったあの写真を友達に見せたい……という時、どうしていますか?　日付だけを頼りに、せっせとカメラロールをスクロールして探していませんか?　写真アプリにはもっと簡単に、ピンポイントで目的の写真を探し出す機能があるのです。例えば、「横浜のお店で食べた中華料理が絶品だったからぜひ見せてあげたい」場合。写真アプリの「検索」画面を開いて、まず「中華料理」で検索してください。中華料理の写真がズラッと表示されます。続けて検索欄に「横浜市」を追加します。中華料理の写真のうち、横浜で撮影された写真だけが一覧表示されます。このように、写真アプリは写真に何が写っているかを解析して、自動で分類してくれているので、「食べ物」「花」「犬」「ラーメン」「海」などのキーワードで検索でき、また複数キーワードで絞り込むこともできるのです。ただし、写真の解析結果は決して完璧ではなく、「食事」カテゴリに風景写真が紛れていたりします。キーワードだけではうまくヒットしない写真もありますが、一枚一枚確認するよりも断然早いのは確かなので、ぜひ「検索」機能を活用しましょう。

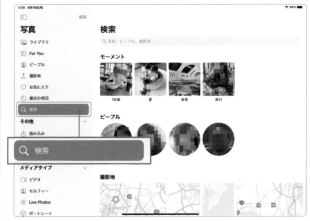

まずは写真アプリのサイドメニューから、「検索」画面を開こう。この画面ではキーワード検索ができるほか、「ピープル」「撮影地」「カテゴリ」などで写真を探すこともできる。

写真をキーワードで検索する

1 キーワードで検索する

まずは検索欄にキーワードを入力して検索しよう。写真のカテゴリなどの候補が表示されるので、これをタップする。

2 検索キーワードを追加する

検索結果を絞り込みたい時は、複数のキーワードを追加しよう。検索に追加できる撮影場所や日時、キーワードなどの候補も表示される。

3 検索結果の写真が一覧表示される

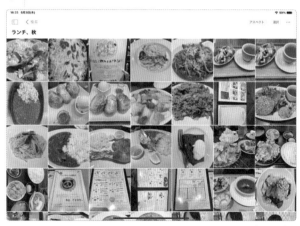

検索結果の「写真」欄にある「すべて表示」をタップすると、キーワード検索によって絞り込まれた写真が一覧表示される。

**使いこなし
ヒント**

写真にキャプションを付けておくと検索を効率化できる

写真を開いて上にスワイプすると、「キャプションを追加」欄にメモを記入できる。このキャプションは検索対象にもなるので、タグ的に使うことが可能だ。例えば美味しかった料理に「また食べたい」とキャプションを付けておくと、「また食べたい」でキーワード検索して素早く探し出せる。

写真のボケ具合を後から イイ感じに調整する

写真アプリで自在に調整可能

iPad Pro 11インチおよび12.9インチ（第3世代以降）のフロントカメラで使える、「ポートレート」モード。このモードで撮影すると、一眼レフで背景をボカしたようなカッコいい写真になるので、突然自分の腕が上がったような気分になれます。ちょっとボケ感が足りないとか、照明の当たり具合がイマイチという仕上がりになっても、何ら問題はありません。写真アプリを使えば、後からいくらでも自由に調整できてしまうのです。写真アプリを起動したら、まずサイドメニューから「ポートレート」画面を開きましょう。ポートレートモードで撮影した写真が一覧表示されるので、写真を選択して、右上の「編集」ボタンをタップします。すると画面内に、照明エフェクトを変更したり、被写界深度（ボケの強さ）を自由に変更するメニューが表示されます。被写界深度は、数値が小さいほど背景のボケが強く、数値が大きいと背景のボケが弱くなります。心ゆくまでイイ感じに調整して、最高の一枚に仕上げてください。

元の写真に戻したい時は

背景をぼかしたことで、かえって不自然な写真になった時は、ポートレートモードを解除しよう。写真アプリでポートレート写真を編集モードにし、上部の「ポートレート」ボタンをタップすれば、背景のボケが解除される。そのまま、右上のチェックボタンをタップして保存すればよい。

照明エフェクトや被写界深度を調整する

背景のボケを調整

照明エフェクトの変更

スタジオ照明

写真内の照明ボタンをタップして、上下にドラッグすると、照明エフェクトを変更できる。また、上部の「f」ボタンをタップすると被写界深度のスライダーに切り替わり、背景のボケ具合を調整できる。数値が小さいほど、背景のボケは強くなる。

はじめからスクエアモードで
カメラを起動するには?

119

カメラモードの設定を保持しよう

　iPadのカメラアプリにはさまざまな撮影モードが用意されていますが、ちょっとオシャレな写真を撮影したいなら、正方形の「スクエア」モードがおすすめです。主役をはっきりさせた構図で撮影できるので、Instagramなどでもよく投稿されている、定番の撮影モードです。ただ、標準の設定のままだと、カメラアプリを起動するたびに「写真」モードに戻るので、いちいち「スクエア」に切り替えるのが面倒。そんな時は、「設定」→「カメラ」→「設定を保持」で、「カメラモード」をオンにしておきましょう。最後に使ったモードでカメラが起動するようになります。また、「Live Photos」をオンにすれば、Live Photosの設定が最後に使った状態で保持され、次回起動時にも適用されます。

最後に使ったモードで
カメラを起動する

オンにする

最後に使った
スクエアモード
で起動した!

「設定」→「カメラ」→「設定を保持」で、「カメラモード」をオンにしておけば、「ビデオ」や「スクエア」など、最後に使った撮影モードで、カメラが起動するようになる。

被写体をきっちり真上
から撮影したいときは

120

グリッド表示で傾きを確認しよう

　真上から写真を撮ったつもりなのに、撮影した写真を見ると微妙に傾いていて
安定感がない……といった経験はないでしょうか。そんな時は、「設定」→「カメ
ラ」→「グリッド」をオンにしてみましょう。グリッドを有効にしてカメラを起動すると、
縦横の線で画面を9分割して表示され、被写体の水平と垂直に気を付けつつ撮
影できます。実はもう一つ、グリッドは水準器としての機能も備えているのです。カ
メラを真下に向けると、白と黄色の十字マークが表示されるはずです。この2個の
十字マークを重ね合わせた状態で撮影すると、ちょうど真上から綺麗に撮影でき
ます。グリッドがあると画面内の構図も決めやすくなるので、普段から表示させて
おいた方がいいでしょう。

1 グリッドを
オンにする

まずは「設定」→「カメラ」→「グリッド」のスイッチをオ
ンにしておこう。カメラの画面が縦横の線で9分割さ
れ、構図を決めやすくなる。

2 十字マークを
重ねて撮影する

グリッドを表示した状態でカメラを下に向けると、2つ
の十字マークが表示される。この2つを重ねた状態で
シャッターを切ると、正確に真上から撮影できる。

削除した写真も30日間は いつでも復元できる

うっかり消した写真を取り戻そう

121

iPadで撮影したはずの写真が見当たらない、もしかしたら間違えて削除したのかも……という時は、とりあえず写真アプリのサイドメニューから「最近削除した項目」を開いてみましょう。このアルバムでは、削除した写真が30日間（最大で40日になることもあります）、一時的に保存されているのです。各写真には、完全に削除されるまでの残り日数が表示されています。運良く目的の写真がまだ残っていたら、画面右上の「選択」をタップして写真を選択し、右下の「復元」→「写真を復元」で復元しましょう。なお、写真を選択して左下の「削除」をタップすると、その写真を完全に削除することもできます。iPadのストレージ容量が足りない時は、「選択」→「すべて削除」で、不要な写真をすべて完全に削除すれば、いくらか空き容量を増やせます。当然、完全に削除した写真は復元できません。

1 「最近削除した項目」 をタップする

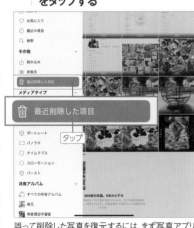

誤って削除した写真を復元するには、まず写真アプリのサイドメニューから「最近削除した項目」をタップする。最近削除した写真が一覧表示される。

2 誤って消した写真を 選択して復元

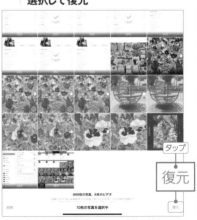

誤って削除した写真が残っていれば、「選択」でその写真を選択し、「復元」をタップして復元させよう。

SECTION
04

122

複数枚の写真は指で
なぞって一気に選択

ひとつずつタップしなくていいんです

　写真アプリでいらない写真を整理する時に、1枚ずつタップして選んでいないでしょうか。そんな面倒なことをしなくても、もっとスマートな選択方法が用意されています。「写真」画面などで右上の「選択」をタップしたら、まず写真を1枚タップして選択しましょう。そのまま指を離さず横になぞっていけば、なぞった範囲の写真がすべて選択状態になるのです。さらに多くの写真をまとめて選択したい時は、横になぞった後に、指を離さないまま上か下に動かしてみましょう。動かした行の写真がすべて選択状態になるはずです。まとめて選択したあとに、選択を解除したい写真があるなら、個別にタップすることでチェックを外せます。大量の写真を操作する際に必須と言えるテクニックなので、ぜひ覚えておきましょう。

右上の「選択」をタップし、写真をひとつ選んだら、指を離さずそのまま横と上下に写真をなぞっていこう。なぞった範囲の写真がすべて選択状態になる。

123 iCloud写真とマイフォトストリームの違いを理解する

似ているようで全然違う2つの機能

iPadで撮りためた写真やビデオは、iCloudで同期しておくことで、初期化したり機種変更した際も元通りに復元して見ることができます。iCloudで同期する方法としては、「iCloud写真」と「マイフォトストリーム」という2つの方法が用意されています。「iCloud写真」は、すべての写真やビデオをiCloudに保存する機能です。写真を撮り続けるとiCloudの容量も消費していきます。これに対し「マイフォトストリーム」は、iCloudの容量を使わずに写真をクラウド保存できる機能です。その代わり、保存期間は30日まで、最大1,000枚まで、ビデオのアップロードもできない制限があります。つまりマイフォトストリームは、写真を一時的にiCloud上に格納するだけの機能なので、昔の写真を残しておきたいなら「iCloud写真」の方を有効にしましょう。なお、iCloud写真の利用にはいくつか注意が必要です。まず、iCloudの容量を消費するので、iPadでよく写真を撮影する人だと無料の5GBではすぐに不足します。iCloudの容量を追加購入（50GB〜／月額130円〜）して利用するのが基本です。またiCloud写真は、バックアップではなく「同期」する機能です。iPadの空き容量が不足したからといって、iPad側で写真を削除すると、iCloud上の写真も削除されてしまいます。同じApple IDでサインインしたiPhoneや、iCloud.com上で写真を削除した際も、iPadから写真が消えます。iPadの空き容量が足りない時は、設定で「iPadのストレージを最適化」を有効にしておきましょう。iPadの空き容量が少なくなると、iPad内の写真が自動的に縮小版に置き換わり、フル解像度のオリジナル写真はiCloud上に残るようになります。共有メニューでメールなどに添付する際は、iCloudからオリジナル版がダウンロードされますので、画質の劣化した写真を送信する心配もありません。

「iCloud写真」と「マイフォトストリーム」の違い

iCloud写真	マイフォトストリーム
iPadで撮影した写真やビデオをiCloudに保存する	iPadで撮影した写真をiCloudに保存する
保存期限や枚数の制限はない	保存期間は30日まで、最大1,000枚まで、ビデオのアップロードもできない
iCloudの容量を消費するので無料の5GBでは足りず、iCloud容量の追加購入が必要	iCloudの容量を消費しないので維持費がかからない

各機能の設定ポイント

1 それぞれの機能を有効にする

「設定」→「写真」で、「iCloud写真」や「マイフォトストリーム」をオンにすると、それぞれの機能が有効になる。両方をオンにすることもできる。

2 iPadのストレージ容量を節約する

「iCloud写真」がオンの時は、フル解像度の写真をiCloudとiPadの両方に残すか、iPadの容量が少ない時にiPad側には縮小版を残して容量を節約するかを選べる。

使いこなしヒント **iCloudの容量を追加購入する**

「iCloud写真」を使う時は、無料の5GBだとまず足りない。設定一番上のApple IDをタップし、「iCloud」→「ストレージを管理」→「ストレージプランを変更」で容量を増やそう。50GB/月額130円、200GB/月額400円、2TB/月額1,300円のプランから選べる。

124 いまさら聞けない Apple Musicの使い方

音楽好きなら月額980円でもお得

　世界中の7,500万曲が聴き放題になる、定額制音楽ストリーミング配信サービス「Apple Music」。新人アーティストの最新曲から過去の名作アルバムまで、あらゆる楽曲をiPhoneやiPad、パソコンで楽しめます。プランは3種類あり（下記参照）、もっとも一般的な個人プランの場合は月額980円です。CDアルバムを1年で4枚以上購入する人であれば、もとが取れる価格と言えます。また、初回登録時のみ、3ヶ月の無料トライアル期間が利用できるので、自分の好きなアーティストや曲が登録されているかをチェックしておきましょう（邦楽の人気曲が登録されていないことも多いので）。iPadでApple Musicを利用する場合は、ミュージックアプリを使います。まずは「検索」で好きな曲があるか探してみましょう。曲名をタップすれば再生開始。基本的にはストリーミングで再生されますが、ライブラリに追加してダウンロードしておくことも可能です。そのほかにも、ユーザーの好きそうな曲を提案してくれる「今すぐ聴く」や、最新の注目曲やランキングをチェックできる「見つける」も活用してみましょう。なお、勘違いしやすいのですが、Apple Musicを登録してもiTunes Storeで販売されている楽曲が聴き放題になるわけではありません。iTunes StoreとApple Musicでは取り扱っている楽曲が異なります。

Apple Musicのプランと料金

プラン	月額料金	概要
個人プラン	**980**円	個人でApple Musicを楽しむためのプラン。
ファミリープラン	**1,480**円	最大6人までの家族がApple Musicに制限なくアクセスできるプラン。あらかじめファミリー共有機能でファミリーメンバーを登録しておく必要がある。
学生プラン	**480**円	学位を授与する総合大学や単科大学に在籍する学生向けのプラン。中高生は利用できない。最大で48カ月間登録可能。UNiDAYSの学生証明サービスを介して在学証明を行う。

それぞれのプランで料金が異なるが、Apple Music内で聴ける曲数や利用できる機能に違いはない。

> ニューアルバムも
> すぐに聴ける！

< ミュージック

見つける

新エピソード
第30回目のゲストは松任谷由実。自身
のアーティスト活動を語る

ニューシングル＋ライブラリに先行追加
Happier Than Ever
ビリー・アイリッシュ

ビリーの新曲「Lost Cause」を聴いて、ニューアルバムを先行追加しよう。

> 好きなアーティストやアルバ
> ムを検索して再生する
> のはもちろん、Apple
> Musicがおすすめする
> アーティストやプレイリス
> トをチェックして新しい音
> 楽に出会うこともできる

必聴プレイリスト   すべて見る

Apple広告のあの曲
Apple Music

日本：ブラックミュージ…
Apple Music

FUJI ROCK …VAL '2…
FUJI ROC…

FUJI ROCK FESTIVAL '2…
FUJI ROCK FESTIVAL

アクティビティ＆ムード

通勤・通学

グッドフィーリング

フィットネス

スポットライト：ソロ作品

Better Distractions
Faye Webster

同じApple IDでサインインしていれば、
iPhoneでもiPadでもApple Musicを
利用できる。ただし、複数の端末で
Apple Musicの曲を同時に再生する
ことはできない。同時に再生するには、
ファミリープランへの加入が必要だ。

Apple Musicに登録してみよう

1 Apple Musicに登録をタップ

Apple Musicは、初回の3ヶ月間のみ無料で試すことが可能だ。登録するには、「設定」→「ミュージック」→「Apple Musicに登録」をタップする。

2 プランを選択する

ミュージックアプリが起動したら「すべてのプランを表示」をタップ。登録するプランを選び、「トライアルを開始」をタップして手続きを進めていこう。

使いこなし
ヒント

無料期間終了後の自動更新をキャンセルする

Apple Musicは、3カ月の無料トライアル期間が終了すると自動で課金が開始されてしまう。無料期間だけ使いたいという人は、ミュージックアプリの「今すぐ聴く」画面で上部のユーザーボタンをタップ。「サブスクリプションの管理」→「サブスクリプションをキャンセルする」をタップしよう。キャンセルしても無料期間中は引き続きサービスを利用できる。

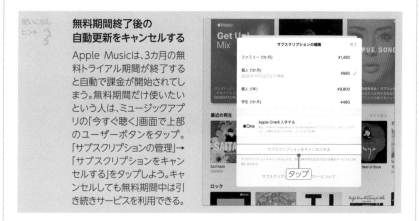

Apple Musicで曲を探して再生しよう

1 アーティストや 曲名で検索しよう

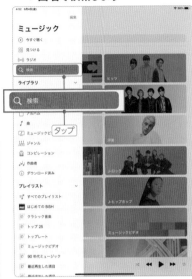

サイドメニューから「検索」画面を開き、アーティスト名や曲名で検索しよう。好みの曲を学習して提案してくれる「今すぐ聴く」や、最新曲やおすすめプレイリストを表示する「見つける」から探してもよい。

2 タップすればすぐに 再生できる

アルバムや曲名をタップすれば、画面下部のプレイヤーでストリーミングで再生される。歌詞表示に対応している曲なら、プレイヤー部をタップすれば歌詞も確認できる。

気に入った曲はライブラリに追加&ダウンロードしよう

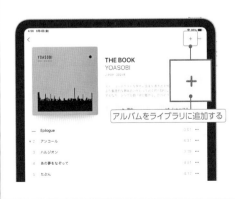

アルバムをライブラリに追加する

ライブラリに追加した曲を聴く

追加した曲は「ライブラリ」の各項目から探し出せる

あらかじめ「ライブラリを同期」(No125で解説)をオンにしておき、アルバムの「+」ボタンや、曲の「…」→「ライブラリに追加」をタップすると、Apple Musicの曲をライブラリに追加できる。さらにダウンロードボタンをタップすると、端末内に保存してオフラインでも再生可能になる。

125 iCloudミュージックライブラリ でできること

音楽をすべてのデバイスで同期できる

Apple Musicに登録していると、楽曲の同期機能である「iCloudミュージックライブラリ」が使えるようになります。これを使えば、パソコンで管理しているすべての楽曲やプレイリストを、iCloud経由でiPadと同期することが可能です。たとえば、音楽CDをパソコンに取り込んだとします。その楽曲をiPadで聴きたい場合、従来だとパソコンとiPadを接続して同期する必要がありました。しかし、iCloudミュージックライブラリを有効にすると、パソコンのiTunes（Macの場合はミュージック）で保存しているすべての楽曲およびプレイリストがiCloudに自動アップロードされ、ほかの端末でもストリーミング再生およびダウンロードができるようになります。しかも、iCloudのストレージ容量は一切消費されず、最大10万曲まで同期可能です。ただし、Apple Musicを解約すると、iCloudで同期している曲が削除され、再生できなくなってしまうので要注意。パソコンにある元の曲ファイルは消さないようにしておきましょう。また、Apple Musicの曲をライブラリに追加したり、端末内にダウンロードする場合も本機能が必要です。パソコンの曲を同期する必要がない場合も、iPadの設定はオンにしておきましょう。

WindowsのiTunesで 設定を有効にする

Windowsの場合は、iTunesの「編集」→「環境設定」→「一般」タブにある「iCloudミュージックライブラリ」にチェックすると、ライブラリの曲がアップロードされる。

Macのミュージックで 設定を有効にする

Macの場合は、ミュージックアプリの「ミュージック」→「環境設定」→「一般」タブにある「ライブラリを同期」にチェックすると、ライブラリの曲がアップロードされる。

iPadでiCloudミュージックライブラリを使う

1 ライブラリを同期を有効にする

iPad側の「設定」を開き、「ミュージック」→「ライブラリを同期」をオンにする。なお、Apple Musicが有効でないと本機能は使えない。

2 ミュージックライブラリの曲を再生できる

パソコンの曲やプレイリストを、iPadでもストリーミング再生できるようになる。もちろん、ダウンロードしておけばオフライン再生することも可能だ。

3 ミュージックライブラリの曲を検索する

ミュージックアプリの「検索」画面を開き、キーワード入力欄をタップ。その下に表示される「ライブラリ」を選択すると、検索対象がiPadのミュージックライブラリになり、iCloudミュージックライブラリで同期した曲とApple Musicでライブラリに追加した曲の中からキーワード検索を行える。

iCloudミュージックライブラリ
だけを使いたい

「iTunes Match」に登録しよう

126

No125で解説しているように、「iCloudミュージックライブラリ」を利用すれば、パソコンに取り込んだ手持ちの音楽CDの曲を、すべてクラウド上にアップしてiPadで再生できるようになります。ただこれは、Apple Musicに付随するサービス。Apple Musicの定額聴き放題のサービスが必要ない人は、「iTunes Match」という別のサービスを使いましょう。手持ちの曲をクラウド上にアップロードする、「iCloudミュージックライブラリ」の機能だけを使えるサービスで、年額3,980円で利用できます。またApple Musicと違って、クラウド上で管理する曲がDRM（デジタル著作権管理）で保護されないので、サービスを解約したあとでも、iPadにダウンロード済みの曲はそのまま残り再生できます。なお、iTunes Matchの登録にはパソコンでの操作が必要です。

1 iTunes Matchに登録する

パソコンでiTunesを起動して「ストア」（Macはミュージックアプリを起動して、サイドバーの「iTunes Store」）を開き、一番下の「特集」メニューにある「iTunes Match」をクリックして登録を済ませる。続けて「このコンピュータを追加」をクリックすれば、ライブラリがアップロードされる。

2 iPadの設定でライブラリを同期

iTunes Matchでアップロードした曲をiPadで同期して再生するには、Apple Musicの場合と同様に、「設定」→「ミュージック」→「ライブラリを同期」をオンにすればよい。

SECTION
04

127

ミュージックの「最近追加
した項目」をもっと表示したい

アルバムを「最近追加した項目順」に並べ替える

　ミュージックアプリで、最近追加したアルバムやプレイリストを探したい時に便利
なのが、サイドメニューにある「最近追加した項目」リストです。ただこのリストでは、
最大で60項目しか履歴が残りません。特にApple Musicを利用していると、気に
なったアルバムや曲をどんどんライブラリに追加しがちですから、少し前に追加した
アルバムは「最近追加した項目」からすぐに消えてしまいます。そこで、サイドメ
ニューの「アルバム」を開いて、右上の「並べ替え」をタップし、「最近追加した項目
順」にチェックしてみましょう。すべてのアルバムが新しく追加した順に表示される
ので、過去に追加したアルバムを探しやすくなります。なお、「曲」や「プレイリスト」
などの画面でも、同様に「最近追加した項目順」で並べ替えることが可能です。

1 ｜「最近追加した項目」
は60項目まで

ミュージックアプリの「最近追加した項目」には、新し
く追加したアルバムやプレイリストが一覧表示され
る。ただし、最大で60項目しか表示されない。

2 ｜全アルバムを新しく
追加した順に表示

すべてのアルバムを新しく追加した順に表示するに
は、「アルバム」を開いて右上の「並べ替え」ボタンを
タップ。「最近追加した項目順」を選択すればよい。

Apple Musicで歌詞の
ほんの一節から曲を探し出す

サビの歌詞しか知らない曲でもすぐに探せる

　ミュージックアプリでApple Musicの検索を行う場合、アーティスト名や曲名だけでなく、歌詞の言葉からでも検索することができます。アーティスト名や曲名を忘れてしまっても、曲の歌い出しやサビなど歌詞の一部さえ覚えていれば、目的の曲を探し出すことが可能です。CMでちょっとだけ聴いた曲を歌詞から探すときにも便利ですね。検索対象は、楽曲やアルバム、プレイリストの3つ。同じような歌詞が使われている曲もヒットするので、実際に試してみると新しい発見もあって意外と面白いです。ただし、Apple Musicに登録されているすべての曲を歌詞検索できるわけではありません。検索対象は、楽曲に歌詞が登録されている曲だけです。なお、iPadやiPhoneのミュージックアプリだけでなく、WindowsのiTunesやMacのミュージックも歌詞検索に対応しています。

ミュージックアプリを起動し「検索」をタップ。検索欄に歌詞を入力して検索を実行してみよう。検索結果に「歌詞：“○○○○○○○”」と表記されているものが、歌詞でヒットした楽曲だ。

歌詞: "晴れた空に種を蒔こう"

歌詞でヒットする

楽曲を歌詞で
検索できる

129

歌詞をタップして聴きたい
箇所へジャンプする

Apple Musicの歌詞が登録された曲で可能

　Apple Musicの曲には歌詞が登録されていますが、最近の曲であれば、再生に合わせて歌詞をハイライトしながら表示できます。下部のプレイヤーをタップして再生画面を開き、右下の吹き出しボタンをタップすれば、カラオケのように曲に合わせて歌詞が自動的にスクロールするのです。また歌詞のフレーズをタップすると、そのフレーズの位置にジャンプして再生が開始されるので、カラオケの繰り返し練習にもピッタリ。ただし、比較的古い曲は歌詞が自動スクロールせず、フレーズをタップしてジャンプすることもできません。歌詞の全文を表示したい時は、再生画面の「…」→「歌詞をすべて表示」をタップしましょう。

**歌詞を表示させて
フレーズをタップ**

プレイヤー部をタップして再生画面を開き、右下の吹き出しボタンをタップ。カラオケのように、曲の再生に合わせて歌詞がハイライト表示される。

フレーズをタップするとその位置から再生できる

発売前の新作もライブラリに追加しておこう

リリース前に先行配信曲もチェックできる

　Apple Musicでは、まだ発売されていないリリース前の最新アルバムも発見できます。好きなアーティストの新作リリース情報が公開されたら、ミュージックアプリで検索してみましょう。「見つける」画面の「まもなくリリース」から探すこともできます。近日リリースされるアルバムでは、数曲が先行配信されており、リリース前に聴くことも可能です。気になる最新アルバムを見つけたら、忘れないうちにライブラリに先行追加しておきましょう。アルバムが正式にリリースされると、通知表示され、残りの曲も自動でライブラリに追加されます。

リリース前のアルバムをライブラリに追加

正式リリース前でも先行配信曲を聴ける

リリース前のアルバムでは、一部の先行配信曲のみ再生できる。またライブラリに追加しておけば、正式リリース後に通知され、先行配信曲以外の曲も自動で追加される。

正式リリース後に
残りの曲も
追加された

SECTION 04

131

YouTubeの動画をダブルタップで早送り&巻き戻しする

10秒単位で動画の再生位置をスキップできる

　YouTubeで動画再生時に、「退屈なシーンが続いているので、少しだけ早送りしたい」と感じたことはないでしょうか？　ただ、動画再生画面の下にあるシークバーを動かして、ちょっとだけ動画をスキップしようと思っても、細かい調整がうまくできずに早送りし過ぎてしまう、なんてことがよくあります。そんなときは、動画再生画面の左右端をダブルタップしてみてください。10秒単位で動画の早送り／巻き戻しが可能です。これならちょっとだけ動画をスキップしたいときに便利ですね。さらに、連続で何回も画面をタップすると、20秒、30秒、40秒とスキップできる秒数が増えていきます。うまく使えば、シークバーを使わなくても好みの再生位置に移動できるようになるので、ぜひ活用してみてください。

連続タップでスキップの秒数が増える

ダブルタップ

再生画面の左右端エリアをダブルタップすると、10秒単位での巻き戻し／早送りが可能だ。連続で画面をタップすれば、スキップする秒数も増える。

227

YouTubeのレッスンビデオは
スローでじっくり再生しよう

YouTubeの動画は再生速度を調整できる

YouTubeには、世界中のユーザーがアップロードしたレッスンビデオが大量に存在しています。ちょっと検索するだけで、ピアノの弾き方やダンスの振り付け、英会話のコツ、アプリの使い方、エアコンの修理方法など、あらゆるジャンルの解説動画が見つかるはずです。無料とは思えない良質な動画も多く、何かを学びたいときは、とりあえずYouTubeをチェックするという人も増えています。このようなレッスンビデオを視聴しているときに、「もっとゆっくり（もしくは速く）再生したい」と思ったら、動画の再生速度を調整してみましょう。動画のオプションメニューから「再生速度」をタップすれば、0.25倍速〜2倍速の間で再生速度を設定可能です。

再生中の動画速度をスローにする方法

1 | 動画再生時にオプションを表示

YouTubeアプリで目的の動画を再生したら、動画再生部分をタップ。画面右上のオプションボタン（3つのドット）をタップしよう。

2 | 動画の再生速度を調整しよう

メニューが表示されるので「再生速度」をタップ。あとは好きな再生速度を選べばOKだ。再生速度は0.25倍速〜2倍速まで選択できる。

133

YouTubeの動画で見せたい
シーンを共有する

指定した秒数から再生を開始する

　　YouTubeの動画を友人に紹介したい時は、YouTubeアプリの再生画面で「共有」ボタンをタップすれば、動画のURLをLINEやメールなどに貼り付けて送信できます。ただ、「ここが面白いから見て!」「この部分が参考になるよ」など、特定のシーンだけを見て欲しい時もありますよね。そんな時は、YouTubeの動画URLを少し加工すると、指定した秒数から再生が開始されるリンクを送信できます。まず、YouTube動画の見せたいシーンで一時停止し、再生時間を確認しておきましょう。次に「共有」をタップして共有方法を選択するのですが、ここからがポイントです。メールやLINEの送信画面が表示されたら、記載されたURLの末尾に「?t=秒数」を追加します。例えば2分22秒(142秒)から再生させたいなら、「?t=142」と追記します。「?t=2m22s」という表記で入力してもかまいません。受け取った相手がこのURLの動画にアクセスすると、指定したシーンから動画が再生されるのです。

1 | 再生時間を確認し「共有」をタップ

YouTubeアプリで動画を一時停止し、見せたいシーンの再生時間を確認。続けて「共有」をタップし、送信方法を選択する。

2 | URLの末尾に時間指定を追加する

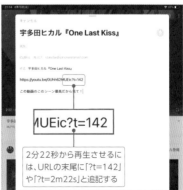

ここではメールを選択。メール本文に動画のURLが記載されているので、末尾に「?t=秒数」を追加して送信しよう。

動画を小さなウインドウで再生させる

134

動画を再生しながら別のアプリが使える

　iPadには、動画を小さな画面で再生させながら別のアプリで作業できる、「ピクチャ・イン・ピクチャ」という機能があります。アプリ側も対応している必要がありますが、FaceTimeやApple TV、ミュージック、Safariなど標準アプリのほかに、Amazonプライムビデオ、Netflix、Hulu、DAZNといった動画配信サービスのアプリでも利用できます。最近では、同じ映画やドラマを離れた人と一緒に見ながらチャットなどで盛り上がれる「ウォッチパーティ」機能に対応した動画配信サービスが増えていますが、今のところほとんどのサービスがパソコンのみの対応で、iPadからはウォッチパーティに参加できません。しかし「ピクチャ・イン・ピクチャ」機能を使えば、みんなで同時にビデオ再生を開始して、小窓で再生させつつLINEなどでやり取りすることで、擬似的なウォッチパーティーが可能です（タイミングをきっちり合わせるのは難しいと思いますが）。ちなみに、写真アプリのビデオはピクチャ・イン・ピクチャが使えないのですが、SafariでiCloud.comにアクセスして写真アプリのビデオを再生すると、ピクチャ・イン・ピクチャで再生できます。また、YouTubeはアプリで再生してもSafariで再生してもピクチャ・イン・ピクチャを使えませんが、Split View（No006で解説）やSlide Over（No007で解説）には対応しているので、YouTubeを見ながら作業したい時はこれらの機能を利用しましょう。

ピクチャ・イン・ピクチャを有効にする

ピクチャ・イン・ピクチャを利用するには、「設定」→「一般」→「ピクチャ・イン・ピクチャ」でスイッチをオンにしておく。

ピクチャ・イン・ピクチャの使い方

1 ピクチャ・イン・ピクチャの ボタンをタップする

Apple TVやDAZNなど、再生画面にピクチャ・イン・ピクチャのボタンが表示されている場合は、これをタップしよう。

2 ピクチャ・イン・ピクチャの ボタンがない場合は

上にスワイプ（またはホームボタンを押す）

AmazonプライムビデオやFaceTimeなど、ピクチャ・イン・ピクチャボタンがない場合は、ホーム画面に戻ったり別のアプリに切り替えるだけでよい。

3 動画を再生したまま 他のアプリを使える

動画の再生画面が分離。小さなウインドウで再生を続けながら、他のアプリを利用できる。再生画面のサイズは、ピンチ操作で自由に変更可能だ。

画面の片隅で再生され続ける

全画面表示に戻る

ピンチ操作で画面サイズを拡大・縮小できる

使いこなしヒント

ピクチャ・イン・ピクチャを使いながら別の動画を再生できる?

別のアプリで動画の再生を開始すると、ピクチャ・イン・ピクチャ側の動画は停止するので、基本的に同時再生はできない。ただしGoogleドライブにアップした動画なら、そのまま2画面で再生され続けるので、2本の動画を比較したい時などに利用しよう。

写真と動画はiTunesなしでも
パソコンへ抜き取れる

135

ドラッグ&ドロップでコピーするだけ

iPadで撮影した写真や動画を残したくても、端末の容量には限りがあります
し、iCloud写真にアップロードするにも限界があります。パソコンを持っているな
ら、iPad内の写真や動画はパソコンに保存しておきましょう。Windowsの場合
は、パソコンとiPadをUSBケーブルで接続して、iPadのロックを解除すればiPad
が認識されます。あとはエクスプローラーで「PC」→「(iPadの名前)」→
「Internal Storage」→「DCIM」フォルダを開くと、iPad内にある写真や動画を
確認でき、ドラッグ&ドロップでコピーできます。Macの場合は、標準の「写真」アプ
リを使えば写真や動画を取り込めます。なお、iPad Pro(第2世代)およびiPad
(第6世代)以降は、写真とビデオの保存形式が、より圧縮率の高いHEIF／
HEVC形式に変更されています。この形式は古いWindowsパソコンだとそのま
ま表示できない事が多いので、iPadの「設定」→「写真」で「MACまたはPCに
転送」欄が「自動」になっているか確認しておきましょう。パソコンにコピーした際
に、従来のJPEG／H.264形式に変換されるようになります。

1 パソコンへのの転送
形式を自動にしておく

「設定」→「写真」の「MACまたはPCに転送」欄を
「自動」にしておこう。写真や動画をパソコンにコピー
した際に、JPEG／H.264形式に変換される。

2 ドラッグ&ドロップ
でコピーする

パソコンとiPadをUSBケーブルで接続。「(iPadの名
前)」→「Internal Storage」→「DCIM」フォルダに
iPad内の写真や動画が保存されているので、選択し
てドラッグ&ドロップでパソコンにコピーしよう。

セキュリティと
トラブル解決の
便利技

置き忘れても平常心を保てる 鉄壁プライバシー防御設定

ちょっとした設定が秘密を守ってくれる

　iPadの中身を見せて、と言われてすんなり見せられる人は、そう多くないでしょう。パスワードや連絡先などの個人情報が含まれる端末を、うかつに人に渡せないといった理由はもちろんあるでしょうが、交際相手との浮ついたLINEのやり取りとか、親しい友人にも教えられない秘密のSNSアカウントだとか、人には絶対に知られたくないデータを、万一にでも見られてしまう危険は犯せないという理由も大きいと思います。そんな秘密のデータがいっぱい詰まっているのに、単に画面ロックをかけているだけで、iPadのセキュリティは万全と安心しきっていませんか？iPadは、強力なウイルスに感染したり、巧妙なハッキングによって侵入されたりといった、そんな理由で中身のデータが流出する可能性はほとんどありません。しかし、しばらく机に置いていた間に覗き見されたり、画面がロックされる前に他人の手に渡ったりなど、ちょっとした不注意と油断で、個人情報が漏れてしまうことは大いにあり得ます。そしてそれは、iPadのプライバシー項目を適切に設定さえしていれば、防げるはずのミスなのです。ここでは、些細なミスによって個人情報が漏れることのないように、確認しておくべき設定を紹介しておきます。特に気を付けたいのは、誰でも見ることができるロック画面に表示される情報です。例えばロック画面でSiriの使用を許可していると、自分以外が話しかけてもFaceTimeを発信したりメッセージを送信できる場合があります。またロック画面には、カレンダーウィジェットで次の予定が表示されたり、新着メールの内容が一部表示されることもあります。これらが表示されることのないよう、しっかり設定を済ませておくだけで、個人的な内容を盗み見られるという危険はずいぶん減るのです。そのうちと言わず、今すぐ設定を見直しておきましょう。

ロック画面でも普通に使っていてもこんな危険がある

FaceTimeなどを利用できる

> 自分以外でもFaceTimeを発信したりメッセージを送信できる!

設定でロック中のSiriの利用を許可していると、ロックを解除しなくてもSiriを使ってFaceTimeを発信したりメッセージを送信できる。例えばロック中にSiriを起動して「FaceTime」と話しかけ、「妻」や適当な名前を伝えると、該当する連絡先があればそのままFaceTimeが発信される。

カレンダーウィジェットで予定が表示されてしまう

ロック画面では、ウィジェットを表示することもできる。例えばカレンダーアプリでウィジェットや通知を有効にしていると、ロックを解除しなくても、次の予定などが表示されてしまう。

新着メールやメッセージの内容の一部が表示されてしまう

メールやメッセージのプレビュー表示を許可していると、新着メールやメッセージが届いた際に、メッセージ内容の一部を覗き見される恐れがある。ロック解除中でもプレビュー表示はオフにしたほうが安全。

使いこなしヒント

意外なところで漏洩するiPadの名前にも注意

Apple IDを本名で登録していると、iPadの端末名にも本名が使われている場合がある。このiPad名は、AirDropやインターネット共有のネットワーク名として表示されてしまうので、「設定」→「一般」→「情報」→「名前」で、あらかじめ本名以外に書き換えておこう。

パスコードとセキュリティの設定ポイント

1 画面ロックは必ず設定しておこう

他人に勝手に操作されないように、画面ロックを設定しておくのは基本中の基本だ。「設定」→「Face ID（Touch ID）とパスコード」で、「iPadのロックを解除」をオンにし、顔（指紋）登録とパスコード設定を施しておこう。

2 パスコードを複雑なものに変更する

パスコードも標準の6桁の数字ではなく、自由な桁数の英数字に変更したほうがより安全。「設定」→「Face ID（Touch ID）とパスコード」→「パスコードを変更」→「パスコードオプション」→「カスタムの英数字コード」で変更できる。

3 自動ロックまでの時間を短くする

iPadは、しばらく操作しないと自動的にロックがかかる。この自動ロックまでの時間は、短くしておいたほうが安全性は高くなる。「設定」→「画面表示と明るさ」→「自動ロック」で、「2分」に設定しておこう。

4 データ消去の設定をオンにする

「設定」→「Face ID（Touch ID）とパスコード」の一番下にある、「データ消去」をオンにすると、パスコード入力に10回失敗した時点でiPad内の全データが消去される。データ保護を最優先にしたい場合は設定しておこう。

ロック画面と通知の設定ポイント

1 | ロック中のアクセスを制限する

標準だと、ロックを解除しなくても通知やウィジェット、Siriにアクセスできてしまう。「設定」→「Face ID（Touch ID）とパスコード」で、「ロック中にアクセスを許可」欄の各スイッチをオフにしておこう。

2 | ロック中でも安全にSiriを使う設定

「設定」→「Siriと検索」で「"Hey Siri"を聞き取る」をオンにして自分の声を登録した上で、「トップ（ホーム）ボタンを押してSiriを使用」をオフにすれば、自分の声だけでしかSiriを起動できなくなる。

3 | ロック画面の通知をオフにしておく

「設定」→「通知」でアプリを選択し、「ロック画面」のチェックを外せば、そのアプリの通知はロック画面に表示されなくなる。通知をあまり知られたくないアプリは、オフにしておこう。

4 | メールやメッセージのプレビューを表示しない

「設定」→「通知」でメールやメッセージを選択し、「プレビューを表示」をタップ。「しない」にチェックすれば、ロック中はもちろん、解除中の通知でも内容が表示されなくなり、より覗き見される危険が減る。

動作がおかしいときに
試したい操作手順

決まった対処法で解決できるはず

137

　iPadをゲームや電子書籍でしか使っていないというのであればまだしも、仕事で使っていて書類やデータをすべて管理している場合などは、突然動かなくなるとかなり困ったことになります。iPadはかなり安定した機器ではありますが、何かの拍子に動作が止まるということも起こり得ます。いざという時に慌てないように、最低限のセルフチェック手段は覚えておきましょう。ここでは、よくあるシーンで試したい対処法をまとめていますが、基本的には一度iPadを再起動すれば問題が解決することが多いです。どうにも直らない時は、iPadを初期化して、バックアップから復元するのが効果的です。

トラブル時のセルフチェック項目

STEP 1	まずはしっかり充電できているか確認
STEP 2	通信トラブルは機能をオフにして再度オンにする
STEP 3	アプリの不調は再起動&再インストール
STEP 4	本体の不調は一度再起動
STEP 5	電源オフできない時は強制的に再起動
STEP 6	それでもダメなら各種リセット

1 まずはしっかり充電できてるか確認

電源が入らない、起動しない時は、まずしっかり充電できているかを確認する。iPadを電源に接続してしばらく待つと、このように充電中の画面が表示されるはずだ。充電中の画面が表示されない時は、USBケーブルや電源アダプタを疑おう。特に、完全にバッテリーが切れてから充電する場合は、Apple純正のものを使わないと、うまく充電できないことがある。純正のケーブルと電源アダプタで充電できない時は、別のケーブルやアダプタに変えてみよう。

2 通信トラブルは一度機能をオフにする

Wi-FiやBluetoothにつながらないといった通信トラブルは、一度通信をオフにして、もう一度オンにし直してみよう。これだけの操作で、不調が解消されることも多い。なお、コントロールセンターから、Wi-FiやBluetoothのボタンをオフにしても、通信を完全にオフにすることができない。Wi-Fiの場合は「設定」→「Wi-Fi」で、Bluetoothは「設定」→「Bluetooth」で、それぞれスイッチをオフにしてから、もう一度オンにするようにしよう。

3 | アプリの不調は再起動&再インストール

上にフリック

アプリの動作がおかしい時は、一度そのアプリを完全に終了させよう。画面の一番下から上へスワイプする途中で止めると、Appスイッチャー画面になるので、不調なアプリを上にフリックすれば強制終了できる。アプリを再起動してもまだ調子が悪い時は、ホーム画面でアプリをロングタップして「Appを削除」をタップし、一度アプリを削除してみよう。その後、App Storeから再インストールし直せば、直ることが多い。

4 | 本体の不調は一度端末を再起動

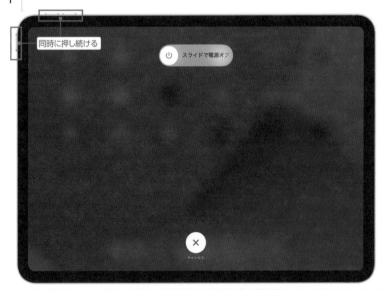

同時に押し続ける

⏻ スライドで電源オフ

✕
キャンセル

iPad本体の動作がおかしい時は、一度端末を再起動するのが基本的な対処法だ。ホームボタンのないiPadは電源ボタンといずれかの音量ボタンを、ホームボタン搭載のiPadは電源ボタンを押し続けると、「スライドで電源オフ」が表示される。これを右にスワイプすれば、本体の電源を切ることが可能だ。電源が切れたら、電源ボタンを長押しして、再起動させよう。なお、物理的な故障などでボタンが効かない時は、「設定」→「一般」→「システム終了」でも、スライダを表示できる。

5 | 電源オフできない時は強制的に再起動

①押してすぐ離す
②押してすぐ離す
③10秒以上長押し

「スライドで電源オフ」が表示されなかったり、画面が真っ暗だったり、タッチしても反応しない時は、本体を強制的に再起動する方法を覚えておこう。ホームボタンのないiPadの場合は、①音量を上げるボタンを押してすぐ離す、②音量を下げるボタンを押してすぐ離す、③電源ボタンを10秒以上長押しする。ホームボタン搭載のiPadは、電源ボタンとホームボタンを同時に10秒以上長押しすればよい。

6 | それでもダメなら各種リセット

ここまでの手順を試しても、まだ調子が悪いなら、「設定」→「一般」→「リセット」の各項目を試そう。ただし、「すべてのコンテンツと設定を消去」という項目には注意。これを実行すると、iPad内のデータがすべて消去され、工場出荷時の状態に戻るのだ。初期化することでほとんどの不具合を解消できるが、iPadの初期設定からやり直す必要がある。消去前にiCloudバックアップの作成を促されるので、必ず作成しておこう。初期設定中に、作成したバックアップから復元すれば、元の環境に復元できる。

138

知らなきゃ損するAppleの保証期間とできること

高価な修理代に泣かされないように

iPadの修理代がいくらか知っていますか? 例えばiPad Proの12.9インチ（第5世代、Wi-Fi+Cellular）で画面破損などの修理を行うと、なんと91,080円かかります! 思わず「高っ!」って叫んじゃいますよね。ただ、普通の家電と同じように、iPadには1年間のメーカー保証と、90日間の電話サポートが付いています。この保証は本体だけでなく、ケーブルや充電器などの付属アクセサリも含まれていて、1年以内なら無料で交換できるのです。ただし、保証対象となるのは「自然故障」した製品のみ。落として液晶画面を割ったり、水没させたりといった、自分の不注意による故障は保証されません。しかし、有料の保証サービス「AppleCare+ for iPad」に加入しておけば、この画面のひび割れなども保証対象になります。製品購入後30日以内でないと加入できず、18,480円（12.9インチiPad Pro 第5世代）または16,280円（その他のiPad Pro）、9,240円（iPad Pro以外）の加入料金が必要ですが、すべての修理が一律4,400円となり、正規の値段に比べれば格安で修理を受けられます（1年間に2回まで）。また、メーカー保証と電話サポートの期間も2年に延長されます。まずは、自分の保証内容と、保証期間が残っているかを確認しましょう。

Appleサポートアプリで確認

No146で解説している「Appleサポート」アプリで製品名をタップし、「デバイスの詳細」で保証の有効期限を確認できる。ただしアクティベート日時を元にした推定。また保証期間が残っていれば、本体の「設定」→「一般」→「情報」の「限定保証」や「AppleCare+」で確認できる。

保証状況を正確に確認する

正確な保証状況は、「設定」→「一般」→「情報」の「シリアル番号」をコピーし、Safariでhttps://checkcoverage.apple.com/jp/ja/を開いて貼り付ければ確認できる。

無料の1年保証でできること

iPad本体の
修理や交換

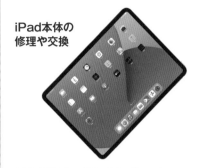

外観に問題がない製品の動作不良や、バッテリーに
製造上の欠陥がある場合などに限り、無料で修理・
交換してくれる。人為的な故障、損傷は対象外。

付属アクセサリの
修理や交換

iPadに付属しているアクセサリ類も、人為的な著しい
損傷がなく、壊れたケーブルや充電アダプタが手元
にある状態であれば、無料で修理・交換してくれる。

有料のAppleCare+でできること

	保証外	AppleCare+
iPad Pro 12.9インチ(第5世代、Wi-Fi+Cellular)	91,080 円	
iPad Pro 12.9インチ(第5世代、Wi-Fi)	85,580 円	
iPad Pro 12.9インチ(第3、4世代)	78,980 円	
iPad Pro 12.9インチ(第1、2世代)	72,380 円	
iPad Pro 11インチ(第3世代、Wi-Fi+Cellular)	66,880 円	
iPad Pro 11インチ(第3世代、Wi-Fi)	60,280 円	
iPad Pro 11インチ(第1、2世代)	59,180 円	
iPad Pro 10.5インチ	53,180 円	すべて
iPad Pro 9.7インチ	44,880 円	4,400 円
iPad mini 4、5	34,980 円	
iPad mini 2	23,980 円	
iPad Air 4	49,280 円	
iPad Air 3	44,880 円	
iPad Air 2	34,980 円	
iPad Air	29,480 円	
iPad(第5、6、7、8世代)	29,480 円	

画面やその他の
修理が格安になる

AppleCare+に加入して
いると、iPadを落として画
面を割ったり水没させたり
といった、過失や事故に
よる損傷でも、一律
4,400円で1年間に2回
まで修理できるようにな
る。また、バッテリーの蓄
電量が本来の80%未満
に劣化した場合も、その
バッテリーを無償で交換
できる。特にiPad Proは
修理代金が高額なので、
AppleCare+への加入を
積極的に検討したい

使いこなし
ヒント

保証の対象外となる行為に注意

Appleが認定していない非公式の修理店で修理を受けると、Appleの保証対象外に
なってしまう。特にAppleCare+に加入済みで、まだ保証期間が残っている人は注意
しよう。もう保証期間が残っていないなら、Appleの正規料金よりもいくらか安く修
理できてお得なケースもある。

誤って削除した
連絡先も復元できる

139

パソコンがあれば復元は簡単

　みんなが家の電話番号を暗記していたのも、今や遠い昔の話。連絡先の管理はiPadやiPhoneに任せきりで、友人知人の電話番号を細かく覚えていないという人は多いと思います。きちんと連絡先データが保存されているうちは問題ないのですが、困ってしまうのが大事な連絡先を間違って削除してしまった時。連絡先アプリには履歴や復元機能がありませんし、すぐにiCloudと同期されてしまうので、iPhoneなど他の端末で確認するといったこともできません。でも実は、iCloudではしっかりと連絡先がバックアップ保存されているのです。SafariでiCloud.comにアクセスして、「アカウント設定」→「連絡先の復元」画面を開き、復元するバックアップ日時を選択しましょう。バックアップ時点の連絡先に巻き戻すことができます。ただし、バックアップ時点の後に新しく登録した連絡先は、当然ながら消えてしまうので注意しましょう。

連絡先の復元はiCloud.comで行う

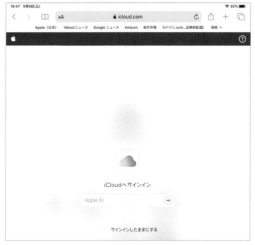

連絡先を復元するには、Safariでの操作が必要となる。iCloud.com（https://www.icloud.com/）にアクセスして、iPadと同じApple IDでサインインしよう。パソコンのWebブラウザでアクセスしてもよい。

iPadで削除した連絡先を復元する手順

1 iCloud.comで「アカウント設定」をタップ

SafariでiCloud.comにアクセスし、Apple IDでサインイン。Apple IDの設定によっては、2ファクタ認証が必要となる。サインインを済ませるとこの画面が表示されるので、「アカウント設定」をタップしよう。

2 「連絡先の復元」をクリックする

iCloudの設定画面が開く。下部の「詳細設定」欄に、「連絡先の復元」という項目があるので、これをタップしよう。なお、カレンダーやブックマークなども、この画面から復元することが可能だ。

3 「復元」ボタンをクリックする

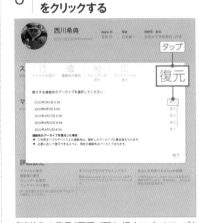

「連絡先の復元」画面が開き、過去にバックアップされた連絡先データが一覧表示される。復元したい日時の連絡先を選択して、「復元」ボタンをタップしよう。

4 さらに「復元」をクリックで復元される

「連絡先を復元しますか?」と警告ダイアログが表示されるので、「復元」をタップ。しばらく待つと、バックアップ時点の連絡先への復元が完了する。連絡先アプリを起動して復元結果を確認しよう。

Apple IDのIDや
パスワードを変更する

140

設定から簡単に変更できる

App StoreやiTunes Store、iCloudなどで利用するApple IDのID（メールアドレス）やパスワードは、「設定」の一番上のApple IDをタップした画面から変更することができます。まず、Apple IDのアドレスを変更したい場合は、「名前、電話番号、メール」をタップします。続けて「編集」をタップし、現在のApple IDアドレスの「－」をタップして削除したら、新しいアドレスを設定しましょう。ただし、作成して30日以内の@icloud.comメールアドレスをApple IDにすることはできません。Apple IDのパスワードを変更したい場合は、「パスワードとセキュリティ」で「パスワードの変更」をタップし、本体のパスコードを入力すれば、新規のパスワードを設定することができます。

1 Apple IDの アドレスを変更する

「設定」の一番上のApple IDをタップし、「名前、電話番号、メール」→「編集」をタップすると、現在のアドレスを削除して新しいApple IDに変更できる。

2 Apple IDの パスワードを変更

また、「パスワードとセキュリティ」→「パスワードの変更」をタップすると、Apple IDのパスワードを新しいものに変更できる。

141

アップデートしたアプリが起動しなくなったら

思い切ってアプリを一旦削除する

　iPadのアプリは気がついたら最新バージョンにアップデートされています。アプリの更新によって新機能が追加されたりバグが修正されるメリットもありますが、突然うまく動かなくなったり、強制終了するようになったというのもよくある話。そんな時は、一度アプリを削除してしまいましょう。その後、App Storeから改めて再インストールし直せば、正常に動くようになる場合がほとんどです。有料アプリでも、一度購入したものなら無料で再インストールできるので安心してください。また、そもそもアプリを自動でアップデートする機能を切っておけば、自分の好きなタイミングで、アプリを更新できるようになります。

1 | 不調なアプリをアンインストール

動作がおかしいアプリは、アプリをロングタップして「Appを削除」→「削除」をタップするか、ホーム画面の余白部分をロングタップしてアプリの「×」→「削除」をタップして一度削除しよう。

2 | App Storeでアプリを再インストール

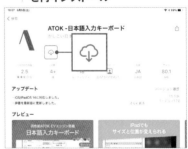

App Storeで、削除したアプリを検索して再インストールしよう。一度購入したアプリは、インストールボタンがiCloudボタンになり、これをタップすれば無料で再インストールできる。

使いこなしヒント

アプリの自動アップデートをオフにする

インストール済みアプリの最新バージョンが公開された際に、自動的に更新したくない場合は、「設定」→「App Store」→「Appのアップデート」のスイッチをオフにしておこう。アプリのアップデートは、App Storeのアカウント画面で、手動で行うことになる。

共有シートのおすすめを消去する

あまり連絡しない相手は非表示にしておこう

　iPadで写真やWebページの記事などを送りたい時は、それぞれのアプリの「共有」ボタンをタップして、メールやLINEなど送信手段と宛先を選ぶ方法がスムーズです。このとき表示される共有シートの一番上に、家族や友人の名前とアプリのアイコンが表示されることがあります。この欄には、以前にメッセージやLINE、AirDropなどを使ってやり取りしたことがある相手とアプリが、おすすめの連絡先として表示されるのです。タップするだけで、同じ相手に同じアプリで素早く送信できるので、いつも連絡する相手が決まっているなら便利な機能です。ただ、あまり使わない連絡先が表示されると邪魔ですし、誤タップの危険性もあります。不要な連絡先は、アイコンをロングタップして「おすすめを減らす」をタップし、表示されないようにしておきましょう。なお、おすすめの連絡先欄の表示自体が不要であれば、「設定」→「Siriと検索」→「共有時の提案」のスイッチをオフにすることで、表示されなくなります。

1 | 不要な連絡先のおすすめを減らす

共有シートの一番上に表示されるおすすめの連絡先で不要なものは、ロングタップして「おすすめを減らす」をタップすると非表示になる。再表示される場合もあるが、何度か「おすすめを減らす」を繰り返しておけば表示されなくなる。

2 | おすすめの連絡先欄を丸ごと消す

共有シートの一番上に表示されるおすすめの連絡先欄自体を非表示にしたいなら、「設定」→「Siriと検索」→「共有時の提案」のスイッチをオフにすればよい。

143

気づかないで払っている
定期購読がないかチェック

もう使っていないサービスは解約しよう

アプリやサービスによっては、買い切りではなく、月単位などで定額料金の支払いが発生する場合があります。このような支払形態を、「サブスクリプション」（定期購読）と言います。例えば、月額980円で7,500万曲が聴き放題になる、「Apple Music」などが挙げられます。このサブスクリプションは、幅広いジャンルのコンテンツをお得な価格で楽しめ、必要な時だけ利用できるといった点が便利ですが、うっかり解約を忘れると使っていない時にも料金が発生します。中には無料を装って月額課金に誘導する、悪質なアプリもあります。いつの間にか不要なサービスに課金し続けていないか、確認する方法を知っておきましょう。「設定」の一番上に表示されるApple IDをタップし、「サブスクリプション」をタップすると、現在利用中や有効期間が終了したサブスクリプションの一覧を確認できます。また利用中のサービスをタップすれば、サービスを解約することもできます。

「設定」の一番上のApple IDをタップし、「サブスクリプション」をタップすると、利用中のサブスクリプションサービスを確認したり、解約することができる。

解約していない
サービスが
あった……

144

なくしたiPadを見つけ出す方法

「iPadを探す」機能を活用しよう

　万一iPadを紛失した時に、真っ先に試したいのが「iPadを探す」機能です。まずは紛失に備えて「設定」の一番上のApple IDを開き、「探す」→「iPadを探す」がオンになっているか確認しておきましょう。この機能が有効であれば、「探す」アプリやWebブラウザなどで、紛失したiPadが発信する位置情報をマップに表示して現在地を把握できるのです。また、「"探す"のネットワーク」や「最後の位置情報を送信」もオンにしておけば、オフラインのiPadが発信するBluetoothビーコンで位置情報を取得したり、バッテリーがなくなる直前の最後の位置を確認することができます。さらに、「紛失としてマーク」を利用すれば、即座にiPadをロック（パスコード非設定の場合は遠隔で設定）したり、画面に拾ってくれた人へのメッセージと電話番号を表示して、連絡してもらえるようにお願いできます。地図上のポイントを探しても見つからない場合は、「サウンドを再生」で徐々に大きくなる音を鳴らしてみましょう。発見が絶望的で情報漏洩阻止を優先したい場合は、「このデバイスを消去」ですべてのコンテンツや設定を削除することもできます。

使いこなし
ヒント

iCloud.comでも探せる

パソコンやAndroidスマートフォンのWebブラウザ、あるいはSafariでiCloud.com（https://www.icloud.com/）にアクセスし、「iPhoneを探す」画面を開いても、紛失した端末を探すことが可能だ。サウンドの再生や紛失モード、iPadの消去なども実行できる。

「探す」アプリでiPadを探す

1 | Apple IDの設定で「探す」をタップ

設定のApple IDをタップして「探す」をタップし、「iPadを探す」→「iPadを探す」のオンを確認しよう。また、「"探す"のネットワーク」と「最後の位置情報を送信」もオンにしておく。

3 | サウンドを鳴らして位置を特定

マップ上のポイントを探しても見つからない時は、「サウンド再生」をタップ。徐々に大きくなるサウンドが約2分間再生される。

4 | 紛失としてマークで端末をロック

「紛失としてマーク」の「有効にする」をタップすると、端末が紛失モードになり、iPadは即座にロックされる。拾ってくれた人へのメッセージや電話番号も表示できる。

2 | 「探す」アプリで紛失した端末を探す

iPadを紛失した際は、同じApple IDでサインインした他のiPhoneやiPadなどで「探す」アプリを起動しよう。紛失したiPadを選択すれば、現在地がマップ上に表示される。

145 いざという時はiPad内の データを遠隔で消去する

個人情報を盗まれないための最終手段

iPadには、電話番号やメールといった個人情報に加えて、SNSのアカウント や、Webサービスのパスワード、クレジットカード情報など、さまざまなデータが保存 されています。iPadを紛失した際に、これらのデータを盗まれてしまうと、大変なこ とになってしまいます。「iPadを探す」の紛失モードやサウンド再生を使っても、どう してもiPadが見つからない時は、個人情報が流出しないように、「このデバイスを 消去」を実行しておきましょう。遠隔操作によってiPadのデータはすべて消去さ れ、工場出荷時の状態に初期化されます。ただしこの操作を実行すると、もう iPadの現在地は表示されず、紛失モードやサウンド再生も利用できなくなるの で、慎重に判断しましょう。iPadを初期化したあとで、紛失したiPadを無事見つけ た場合は、iCloudバックアップやiTunesで作成したバックアップから、バックアッ プが作成された時点の状態に復元することができます。また、アカウントからデバ イスを削除しなければ、持ち主の許可なしにデバイスを再アクティベートできない ので、勝手に使われたり売られたりする心配はありません。

1 「このデバイスを消去」 をタップ

No144の解説の通り「探す」アプリで紛失したiPad を選択し、「このデバイスを消去」をタップしよう。

2 「続ける」をタップ して初期化する

消去すると もう現在地は 確認できない!

「続ける」をタップして画面の指示に従い、消去を実 行すると、iPadのデータは初期化され、個人情報の 流出を防ぐことができる。

SECTION 05

146

困った時はAppleサポート
アプリに頼ってみよう

チャットや電話でサポートに相談できる

iPadの操作で分からないことがあったり、トラブルを自分で解決できない時に、力強い味方となるのが「Appleサポート」アプリです。まず、アプリを起動したら、サイドメニューの「マイデバイス」からiPadを選びましょう。続けてトラブルの種類や症状などを選択していけば、「記事」で主なトラブルの解決方法を確認したり、「持ち込み修理」で修理を予約したり（No147で解説）、「チャット」や「電話」をタップして、Appleのサポート担当者と相談しながら問題を解決できます。なおこのアプリは本体だけでなく、AirPodsやApple Pencilなどのアクセサリはもちろん、iCloudやApple IDといった各種サービスについても、トラブルの解決方法がまとめられているので、何か操作につまずくことがあれば一度確認してみましょう。

Appleサポート
作者 Apple
価格 無料

トラブルが発生したiPadと症状を選択していくと、解決に役立つ記事を読んだり、チャットや電話で相談することができる。

どうにもならない故障の際は Apple Storeへ駆け込もう

いつも混んでいるので予約は必須

　どうしても直らない不具合が出たり、物理的な故障が疑われる場合は、全国10箇所にあるApple Storeに持ち込んでみましょう。ただし、直接店舗に行っても混んでいて待たされることが多いので、基本的に予約は必須。この予約に便利なのが、「Appleサポート」アプリ（No146で解説）です。サイドメニューの「マイデバイス」から不具合のあるiPadを選択し、続けてトラブルの種類や症状を選択したら、「持ち込み修理」の「正規ストアを探す」をタップしましょう。最寄りのApple Storeや、修理に対応する家電量販店が一覧表示されます。Apple Storeは5分単位での予約が可能なので、持ち込みたい店舗と日時を選択して「予約」ボタンをタップしましょう。なお、デバイスを選んで「デバイスの詳細」をタップすると、各デバイスの保証期間の有効期限やシリアル番号なども確認できるので、修理に出す前にチェックしておきましょう。

1 「ストアを検索」をタップする

「Appleサポート」アプリの「マイデバイス」から問題のあるiPadと症状を選んで、「正規のストアを探す」をタップ。

2 近くのApple Storeを選択する

「リスト」または「地図」から、近くのApple Storeを選択しよう。修理に対応する家電量販店を選択してもよい。あとは持ち込む日時を選択し、「予約」をタップすれば予約完了。

予約した日時にApple Storeを訪れよう。サポート担当者が、速やかに端末の問題解決や修理手続きを行ってくれる。なお、予約をキャンセルしたい場合は、マイデバイスからiPad名をタップして、「近々の予約」の「詳細を表示」をタップし、続けて「予約をキャンセル」→「予約をキャンセル」をタップすればよい。

iPad
はかどる！
便利技
2021

2021年7月5日発行

Writer
西川希典

Designer
高橋コウイチ（WF）

DTP
越智健夫

編集人
清水義博

発行人
佐藤孔建

発行・発売所
スタンダーズ株式会社
〒160-0008 東京都新宿区
四谷三栄町12-4 竹田ビル3F
TEL 03-6380-6132

印刷所
株式会社シナノ

本書の記事内容に関するお電話でのご質問は一切受け付けておりません。編集部へのご質問は、書名および該当箇所、内容を詳しくお書き添えの上、下記アドレスまでメールでお問い合わせください。内容によってはお答えできないものや、お返事に時間がかかってしまう場合もあります。

info@standards.co.jp

ご注文FAX番号 03-6380-6136